ふしぎなキリスト教

橋爪大三郎×大澤真幸

講談社現代新書
2100

Wonders In Christianity
Hashizume, Daisaburo & Ohsawa, Masachi
Kodansha Co. Ltd., Tokyo 2011

まえがき

「われわれの社会」を、大きく、最も基本的な部分でとらえれば、それは、「近代社会」ということになる。それならば、近代あるいは近代社会とは何か。近代というのは、ざっくり言ってしまえば西洋的な社会というものがグローバル・スタンダードになっている状況である。したがって、その西洋とは何かということを考えなければ、現在のわれわれの社会がどういうものかということもわからないし、また現在ぶつかっている基本的な困難が何であるかもわからない。

それならば、近代の根拠になっている西洋とは何か。もちろん、西洋の文明的なアイデンティティを基礎づけるような特徴や歴史的条件はいろいろある。だが、その中核にあるのがキリスト教であることは、誰も否定できまい。一口に「キリスト教」と言ってもいろいろあり、対談でも話題にしているように、大きく分けただけでも、ローマ中心の西側のキリスト教（カトリック）と正教会（オーソドクシー）とも言われる東側のキリスト教がある。西洋の文明的なアイデンティティの直接の根拠になっているのは、西側のキリスト教であり、とりあえずは、これを「キリスト教」と呼んでおこう。西洋とは、結局、キリスト教型の文明である。つまり、西洋は、世俗化してもなおかつどこかキリスト教に根を持っていることが大きく効いているような社会である。

近代化とは、西洋から、キリスト教に由来するさまざまなアイデアや制度や物の考え方が出てきて、それを、西洋の外部にいた者たちが受け入れてきた過程だった。大局的に事態をとらえると、このように言うことができるだろう。

ところで、この事実が、日本人にとっては大きなつまずきの石になっている。以前、橋爪大三郎さんが私との私的な会話で使われていた表現をお借りすると、いまある程度近代化した社会の中で、近代の根っこにあるキリスト教を「わかっていない度合い」というのをもしIQのような指数で調べることができたとしたら、おそらく日本がトップになるだろう。それは日本人が特に頭が悪いということを意味しているわけではない。そうではなくて、日本があまりにもキリスト教とは関係のない文化的伝統の中にあったことがその原因である。

たとえば、比較の対象としてイスラム教を考えてみる。「文明の衝突」などと言うときに、西洋と衝突する文明として主として念頭におかれているのは、イスラム教圏である。つまり、今日しばしば、イスラム教の伝統の下にある文明圏は、西洋と非常に違うものの典型のように言われている。確かに、イスラム教とキリスト教は別の宗教である。しかし、そのイスラム教でさえも、キリスト教と同じ一神教であり、キリスト教と類似の着想の上に成り立っている。イスラム教とキリスト教の距離は、日本の文化的伝統とキリスト教の距離よりは、はるかに小さい。あるいは、東アジアに目を転じて、中国というものを考えてみる。儒教のような中華帝国を成り立たせている観念は、一神教ではなく、キリスト教とは全然別のものではある。しかし中華帝国の中心部にあるその観念は、その秩序の辺境にいた日本の伝統的な生活態度や常識と比べれば、どこか着想の基本部分で、キリスト教と似たものをもっている。

これらと比べたとき、日本は、キリスト教ときわめて異なる文化的伝統の中にある。つまり、日本は、キリスト教についてほとんど理解しないままに、近代化してきた。それでも、近代社会というものが順調に展開していれば、実践的な問題は小さい。しかし、現代、われわれの社会、われわれの地球は、非常に大きな困難にぶつかっており、その困難を乗り越えるために近代というものを全体として相対化しなければならない状況にある。それは、結局は西洋というものを相対化しなければならない事態ということである。

こういう状況の中で、新たに社会を選択したり、新たな制度を構想すべくクリエイティヴに対応するためには、どうしたって近代社会の元の元にあるキリスト教を理解しておかなければならない。そういう趣旨で、橋爪大三郎さんと私大澤真幸が、キリスト教を主題とする、対談をすることになった。

その際、私たちは、この対談に二つの背反する条件を課した。一方では、基礎を何も知らない人にもわかってもらえるものにした。かつ、他方で、キリスト教や近代社会についてすでに多くの知識をもち、いろんなことを考えてきた人にとっても「それは本質的な問題だ」と思ってもらえるものにした。一見背反しているように見える、こうした両面が欲しい。その両面を一挙に獲得するにはポイントがある。キリスト教に限らず、どんな知的主題に関しても言えることだが、ある意味で最も素朴で基本的な質問が一番重要である。そういう質問は、初学者にとっての最初の疑問であると同時に最後まで残る一番しぶとい重要な謎である。

そこで私（大澤）が挑発的な質問者となって、ときに冒瀆ともとられかねない問いをあえて発し、橋爪大三郎さんに、それに答えながら、キリスト教というものが何であるか、キリスト教が社会の総体とどのようにかかわってきたかを説明していただいた。このような役割分担にしたのはまず何より、現代の日本で、橋爪大三郎さんが最も信頼できる比較宗教社会学者であり、その立場からの本を著されてきたからである。特定の宗教についての優れた研究者はたくさんいる。しかし、すべての世界宗教・普遍宗教を横断的にとらえながら、その根本的な性格をきちんと理解し、かつ社会学者としても優れた洞察をもっている人としては、橋爪さんの右に出る者はいない。と、同時に、私が質問者になったのは、私がこれまで、宗教、とりわけキリスト教の存在を前提にした論文や著書をたくさん書いてきたからである。

対談は、全部で三回である。まずキリスト教のベーシックな考え方になる、あるいはその背景にあるユダヤ教との関係で、啓示宗教としての一神教の基本的な考え方をはっきりさせて（第1部）、その次にキリスト教のきわめて独創的な側面である「イエス・キリスト」とは何であるかを考え（第2部）、最後にキリスト教がその後の歴史・文明にどのようなインパクトを残してきたかということについて考えていく（第3部）。

自画自賛は、ほんとうは慎むべきかもしれないが、この対談については言わせてもらいたい。この対談は絶対におもしろい。私は、もともと、自分の対談の記録を読み返したり、手直ししたりするのが苦手である。自分の発言を文字として読むのが気恥ずかしいのである。しかし、この対談に関しては、自分で読んでいても楽しくて仕方がなかった。自分で読みながら、何度も笑ってしまった。読者にも、必ずや、楽しみながら知的な興奮を味わってもらえるだろう。

大澤真幸

目次

第2部 イエス・キリストとは何か ―― 129

第1部　一神教を理解する——起源としてのユダヤ教

1　ユダヤ教とキリスト教はどこが違うか

大澤　キリスト教を理解するときのポイントは、実はユダヤ教があってキリスト教が出てきたということです。ユダヤ教を一方で否定しつつ、他方で保存し、その上にキリスト教がある。つまり、キリスト教は二段ロケットのような構造になっています。

イエスが登場したとき、彼はキリスト教という新しい宗教をつくろうとしたのではない。ユダヤ教の宗教改革みたいな感じで出てきたんだと思います。だからまず、キリスト教は、ユダヤ教との関係で理解することが必要です。

キリスト教の非常に独特なところは、自らが否定し、乗り越えるもの（ユダヤ教）を、自分自身の中に保存し、組み込んでいるところです。否定的なものとして肯定しているとでも言いましょうか。この点を端的に示している事実は、キリスト教の聖典が、旧約聖書、新約聖書という形で二重になっているということです。ユダヤ教に対応する部分が旧約聖書であり、イエスの後に付け加わったのが新約聖書です。おもしろいのは、旧約聖書を廃して新約聖書がキリスト教の聖典になっているのではなく、キリスト教の中に、旧約聖書がそのまま残されていることです。

この点におけるキリスト教のユニークさは、他の宗教と比べるとよくわかります。世界宗教になるような宗教はいきなり現れるわけではありません。その背景には先行するさまざまな宗教があるに違いない。しかし、自分自身が否定し、乗り越えるべき先行宗教を、自分自身の内部に保存しているような世界宗教は、キリスト教以外にはありません。

たとえば仏教を考えてみましょう。仏教は、それ以前からあったインドの古代宗教バラモン教（ヒンドゥー教の前史）を否定する形で出てきますね。第三者の目から見れば、バラモン教と仏教には共通した世界観がありますが、しかし、仏教自身は、バラモン教的なものを自覚的に自分自身の中に残すなどということはなく、バラモン教を否定する新たな世界観・真理として出てきます。

仏教と対照的なのは、イスラム教です。イスラム教は、先行するユダヤ教やキリスト教を明らかに前提にしている。ただ、イスラム教の場合には、それらを否定するというより、再解釈したうえで、自分の世界の中に取り込んでいます。だから、聖典も、旧約と新約のように二種類あるのではなく、クルアーン（コーラン）という形で単一なものとして統合されている。

しかし、キリスト教の場合には違います。ユダヤ教的な部分を否定しつつ、自覚的に残している。その二重性は、二種類の聖典という形で明白な痕跡を留めています。したがって、まずはユダヤ教をわかっていないとキリスト教がよくわからないというポイントがあると思うんですね。そこで、最初にうかがいたいことは、ユダヤ教とキリスト教はどう違うか。違いのポイントはどこにあるのでしょう?

橋爪　議論のはじめなので、ユダヤ教についても、キリスト教についてもよくわからないという前提で、ふたつの宗教の関係を端的にのべてみましょう。

では、その答え。

ほとんど同じ、です。

ユダヤ教もキリスト教も「ほとんど同じ」なんです。たったひとつだけ違う点があるとすると、イエス・キリストがいるかどうか。そこだけが違う、と考えてください。

少し補足しましょう。

このふたつは、どこが同じか。「一神教」である。しかも、同じ神をあがめている。ユダヤ教の神は、ヤハウェ(エホバともいう)。その同じ神が、イエス・キリストに語りかけている。イエス・キリストは神の子だけれど、その父なる神は、ヤハウェなんです。それを「父」とか「主」とか「God」とか言っている。ユダヤ教とキリスト教に、別々の神がいると考えてはいけません(ちなみにイスラム教のアッラーも同一の神です)。

違うのは、この「神に対する、人びとの対し方」です。

人びとは神に対するのに、間に誰かを挟みます。これが、神の言葉を聴く「預言者」。旧約聖書は、イザヤとかエレミヤとかエゼキエルとか、もっと古くはモーセとか、いろんな預言者がいたという。彼らの言葉を「神の言葉」と考え、それに従う。すると、ユダヤ教になります。

キリスト教も、この態度は、同じです。だから、彼ら旧約の預言者を、みな預言者として認める。でも、その締めくくりに、イエスが現れたと考える。

イエスの出現は、旧約聖書の預言者が、やがてメシアがやって来ると、預言していたものです。「メシア」はヘブライ語で、救世主という意味。それをギリシア語、ラテン語に訳すと「キリスト」です。特に、『イザヤ書』の真ん中より少し後ろ（第二イザヤの預言と言われる部分）に、そのことが書いてある。

イエスの先輩格に、洗礼者ヨハネという預言者がいて、イエスに洗礼を授けた。「自分の後から来る人はもっと偉大だ」と言ったので、人びとは、ナザレのイエスこそ待望のメシアではないかと期待した。そのあと、イエスが十字架にかかって亡くなると、イエスは神の子だったと言う人びとが出てきた。

「神の子、イエス・キリスト」は、預言者ではない。預言者以上の存在です。なにしろ本人が神（の子）なのですから、自分の言葉がそのまま神の言葉である。神の言葉を「伝える」預言者とは違う。人びとはイエス・キリストをあがめることで、神をあがめることになる。

そこで、旧約の預言者は重要でなくなった。なにしろ、神であるイエス・キリストと直接連絡が取れたんですから。この時点で、ユダヤ教とキリスト教が分かれたのですね。

大澤 なるほど、視界が非常にクリアになりました。イエス・キリストの存在がユダヤ教とキリスト教の分かれ目にあるということですね。

キリスト教にとってイエス・キリストの存在がいかに大切かということは、同じ一神教の伝統の中にあるイスラム教と比較するとわかります。イスラム教ではムハンマドが出てきますけど、イエス・キリストとはちょっと違います。ムハンマドは、イスラム教にとって特別な人ですが、「神の子」だとか「キリスト(救世主)」だとかではなくて、やはり預言者のひとりですね。だから、イスラム教は、ユダヤ教の預言者という系列から逸脱していない。それに対して、キリスト教の場合には、預言者の系列の先端に、イエス・キリストという預言者とは質的に異なるものが出てくる。そう考えると、イエス・キリストこそはポイントです。だから後でその存在について徹底的に考えてみたいのですが、その前にいくつか確認しておきたいことがあります。

2　一神教のＧｏｄと多神教の神様

大澤　とても基本的な質問なんですが、ユダヤ教もキリスト教もイスラム教も一神教で、神が一つであるということに対してものすごく強いこだわりがありますよね。多くの日本人にとってそのあたりがいまひとつピンとこないと思うのですが、なぜ神がたくさんいてはいけないのか。「一」というのが別格的な意味を持つ感覚的な根拠——論理以前の感覚上の根拠——はどのあたりにあるのでしょう？

考えてみれば、神様はたくさんいるほうがふつうですよね。神様をたくさん持つ共同体のほうが、歴史的には、圧倒的に多かった。結果的には一神教の伝統を持つ社会が地球を席捲したので、神様は一人というのが一般的になりましたけど、もとをただせば、神様をたくさん持つ共同体がいくらでもあった。現に日本でもそうで、やたらと神様がいます。

その神が「一」であるということがなぜそれほど重要なのか。この質問の心は、次のことにあります。先ほど橋爪さんがおっしゃったように、ある意味でユダヤ教とキリスト教の違いはものすごく小さいとも言えるわけですよね。ほとんど同じと断じてもよいくらいですから。そうすると、キリスト教が結果的に、近代にまでつながる非常にふしぎで独特なインパクトを持ったのは、もともとユダヤ教のほうにかなりユニークな特徴があったからだと思わざるをえません。そのことをはっきりさせたいものですから、一神教であることの意味をうかがっておきたい。

この「一」に対するこだわりというのは、どういうことなんでしょう？　神学的に体系化される前の、言葉以前の感覚として、「一」への執着、「一」へのこだわりの根拠みたいなものがあったはずだと思うのですが。

橋爪　日本人は、神様はおおぜいいいたほうがいい、と考えます。なぜか。「神様は、人間みたいなものだ」と考えているからです。神様は、ちょっと偉いかもしれないが、まあ、仲間なんですね。友達か、親戚みたいなもんだ。友達なら、おおぜいいたほうがいい。友達がたった一人だけなんて、ろくなやつじゃない。

で、その付き合いの根本は、仲よくすることなんです。おおぜいと仲よくすると、自分の支えになる。ネットワークができる。これは日本人が、社会を生きていく基本です。このやり方を、人間じゃない神様にも当てはめる。すると、神道のような多神教になる。

すると、一神教がふしぎです。なぜわざわざ、たくさんあるのを切り捨てて、「一」にするんだろう？　それからなぜ、神様にあんなに怒られて、それでも神様に従おうとするんだろう？

わからないです。理解したくても理解できないから、一神教を信じるなんて、なんて変な人たちだろう、という結論になる。

じゃあこれを、一神教の側から見てみるとどうか。

一神教のＧｏｄ（神）は、人間ではない。親戚でもない。まったくのアカの他人です。アカの他人だから、人間を「創造する」んです。

「創造する」って、どういうことか。わかりやすいのは、モノです。モノは、つくることができて、壊すこともできる。所有したり処分したり、好きにできる。モノは、つくったひとのもの。つくったひとの所有物なんです。

Ｇｏｄが人間を「創造した」のなら、Ｇｏｄにとって人間は、モノみたいなもの。所有物なんです。つくったＧｏｄは「主人」で、つくられた人間は「奴隷」です。人間を支配する主人が、一神教の「Ｇｏｄ」なんですね。（日本語で「神」というと、どうしてもなれなれしいニュアンスがまぎれ込んでしまうので、以下、一神教の神をさすことをはっきりさせたい場合には、なるべく「Ｇｏｄ」ということにします。）

Ｇｏｄは、人間と、血のつながりがない。全知全能で絶対的な存在。これって、エイリアンみたいだと思う。だって、知能が高くて、腕力が強くて、何を考えているかわからなくて、怒りっぽくて、地球外生命体だから。Ｇｏｄは地球もつくったぐらいだから、地球外生命体でしょ？
結論は、Ｇｏｄは怖い、です。怒られて、滅ぼされてしまっても当然なんです。

大澤　橋爪さんらしい明快で、ユーモアのあふれる説明ですね。

お聞きしながら、昔、丸山眞男が書いていたことを思い出しました。丸山は、宇宙の起源を説明する論理は三つある、と述べています。一方の極に、神が宇宙を創造する、という論理がある。旧約聖書は、このヴァージョンです。他方の極には、宇宙は植物のように生成する、という論理がある。丸山は、古事記等の神話から、日本はこのヴァージョンに入ると言っている。日本の神の名前についている「ムスヒ」の「ムス」は、「苔ムス」の「ムス」で、自然と生えてくるという意味ですね。この両極の中間に、神が宇宙を産む、出産するという説明がある。この丸山の類型でも、日本とユダヤ・キリスト教は反対の極にあります。

ともあれ、宇宙と人間を「創造した」Ｇｏｄが、人間にとってはエイリアン、地球外生命体のようなものであるなら、そんな怖いＧｏｄといかに付き合うかが一神教の重大なテーマになりますね？

橋爪　はい。順番に考えていきましょう。

一番目に、Ｇｏｄは何を考えているか。

これは、大事な点だが、預言者に教えてもらいます。二番目に、Ｇｏｄが考えているとおりに行動する。そうやって、身の安全をはかる。Ｇｏｄを信じるのは、安全保障のためなんです。Ｇｏｄが素晴らしいことを言っているから信じるんじゃなくて、自分たちの安全のために信じる。

Ｇｏｄが考えているとおりに行動するには、預言者の言葉が手がかりになる。それが、Ｇｏｄとの「契約」になります。

この「契約」の考え方は、わかりにくい。ま、「条約」だと思ってください。ユダヤ民族が、Ｇｏｄと「契約」を結ぶのは、Ｇｏｄに守ってくださいと頼むことなんだけど、これは日米安保条約の感覚に近い。安保条約は日本がアメリカに、「守ってください」と条約を結んでいるでしょう？　同じなんです。

だから、Ｇｏｄと付き合うには、なれなれしくしたらダメなんですね。まかり間違っても、Ｇｏｄと対等だなんて思ってはいけない。いつもへりくだって、礼儀正しくする。自分はＧｏｄにつくられた価値のない存在です、としおらしくしているのが正しい。

これが、Ｇｏｄと人間の関係の、基本の基本です。

でもこれでは、いかにもよそよそしい。そのよそよそしい関係を打ち砕こうと、イエス・キリストは「愛」をのべて、大転換が起こるんです。それまでは、こういう厳しくてよそよそしい関係が、基本だったと理解しておかなければならない。

3　ユダヤ教はいかにして成立したか

大澤　すごく重要なポイントに一気に近づいているんですけど（笑）、もうしばらく立ち止まって初歩的な知識を確認させてください。

旧約聖書を読むと、三分の一ぐらいは歴史のことが書いてあります。『創世記』の最初のほうは、つまり天地創造のことで、今しがた話題にした、神が人間をつくったことなども書かれています。それは明らかにフィクションと言いますか神話的です。しかし、旧約聖書は、そういうところからだんだん、実際にあった話がそれなりに伝承されて文字になったものだろうと解釈できる部分へと、つまり本当の歴史へと変わっていきます。旧約聖書の記述は、こういうふうに神話と本来の歴史、フィクションと事実とをないまぜにしていますから、これだけからはユダヤ教の客観的な歴史はわかりません。

そうすると、実際問題として「ユダヤ教はいつユダヤ教になったのか」ということが気になります。おそらく学者の冷めた目で見れば、あの地域にいたユダヤ人たちも初期の段階では周囲の共同体のそれと大同小異の宗教を抱いていたのでしょう。しかし、その宗教は、やがて、非常に独特の厳しい一神教でＧｏｄと契約するというアイデアに固まっていきました。一般的にはいつごろ、どういう社会的背景のもとでユダヤ教はユダヤ教になったと説明されていますか？

橋爪　まず、年表をみてください（二七頁）。

この年表は、エジプトの出来事と、メソポタミア（バビロニアやアッシリア）の出来事に、パレスチナ一帯（当時はカナンといっていました）の歴史が挟まれるかたちになっています。両大国に挟まれた地域（カナン地方）に、イスラエルの人びとがいた。エジプトとメソポタミアの両大国に挟まれた弱小民族が、ユダヤ人だったという歴史がわかると思う。島国で安全だった日本とは、まるで正反対なんです。

さて、ユダヤ教の成立時期なんですけれども、だんだん出来ていったものなので、はっきりしたことは言えない。

ヤハウェという神が最初に知られるようになったのは、紀元前一三〇〇～前一二〇〇年ごろだと思います。そのころ、のちに「イスラエルの民」といわれるようになる人びとが、この地に入植しはじめた。神々のひとつとして、ヤハウェがあがめられるようになった。これが、それなりにユダヤ教らしくなったのは、ずっと時代がくだって、バビロン捕囚（紀元前五九七～前五三八年）の前後。すっかりユダヤ教になったのは、イエス・キリストより後かもしれない。ローマ軍の手でエルサレムの神殿が壊されて、ユダヤ民族は世界中に散らされてしまったんですね。神殿がなくなったので、律法を重視するいまのユダヤ教のかたちが確定した。というわけで、千五百年ぐらいかけて、徐々に成立しているんです。

これだけ長い間に、ユダヤ教はずいぶんかたちを変えているので、以下、マックス・ヴェーバーの『古代ユダヤ教』(名著です!)を下敷きに説明します。

ヤハウェは、最初、シナイ半島あたりで信じられていた、自然現象(火山?)をかたどった神だった。「破壊」「怒り」の神、腕っぷしの強い神だったらしい。そこで、「戦争の神」にちょうどいい。イスラエルの人びとは、周辺民族と戦争しなければならなかったので、ヤハウェを信じるようになった。

日本にも似たような、八幡《はちまん》という神がいます。もともとは九州の国東《くにさき》半島あたりの神だったのが、戦争に強いということで、石清水《いわしみず》に祀られ、鎌倉の鶴岡八幡宮にも祀られて、武士の守り神になった。

ともかくヤハウェは、戦争の神。イスラエルの民がそのもとにまとまった。

この「イスラエルの民」が元はどんな人びとだったたか、実はよくわかりません。肥沃な低地を見下ろす山地に住み、羊や牛や山羊を飼っていた。人種も文化もまちまちなグルー

古代オリエント世界

紀元前	エジプト	パレスチナ	メソポタミア
	新王国（前16世紀～）		古バビロニア王国（ハンムラビ王・前18世紀頃）アッシリア王国、強大となる（前14世紀頃）
1270頃		出エジプト	
1230頃		ユダヤ人カナンに入植	
1020頃		サウル王即位	
1004		ダビデ王即位	
997		エルサレム遷都	
972		ダビデ王没	
965		ソロモン王、エジプトと同盟しエルサレム神殿建立	
926		ソロモン王没。イスラエル王国（北）とユダ王国（南）に分裂	
722		イスラエル王国滅亡 ←	アッシリア
670	アッシリア、オリエントを統一		
622		ユダ王国ヨシヤ王の改革	
612	アッシリア崩壊→エジプト・リディア・新バビロニア・メディアが分立		
586		ユダ王国滅亡 ← バビロン捕囚（～前538）	新バビロニア
525	アケメネス朝ペルシャ、オリエントを統一		
334	アレキサンドロス大王の東方遠征（エジプト征服、ペルシャ滅びる）		
	プトレマイオス朝エジプト		セレウコス朝シリア
248			パルティア建国
63		ローマに征服される	
40		ヘロデ、ユダヤ王に	
4頃		イエス誕生	

プの寄り合い所帯だったらしい。逃亡奴隷やならず者やよそ者もまじっていたかもしれない。それが、定住農耕民と張り合おうというので、団結して、ヤハウェを祀る祭祀連合を結成した。ヴェーバーの言い方だと、「誓約共同体」（同じ神をいただく宗教連合）ですね。そして少しずつ、カナンの地に侵入していった。

旧約聖書には、モーセが人びとを率いて紅海を渡り、シナイ半島をさまよった「出エジプト物語」とか、モーセのあとを継いだヨシュアが、エリコの町を攻略したとか書いてありますが、これはずっと後世に書かれたもので、その通りの歴史的事実があったとは信じられない。じゃあ実際はどうだったのかというと、あんまり古いことなので、よくわからないのです。でもともかく、ときには平和的に、ときには実力で、先住民に割り込んで、カナンの地に定着した。そして、彼らの国をつくった。

この段階では、ヤハウェは、数ある神々のひとつです。カナンの先住民は、さまざまな神を信じていた。バアルと総称されるが、主に農耕を司る神で、偶像を崇拝していた。ペリシテ人はダゴン神、モアブ人はケモシュ神という具合に、めいめい神を祀っていた。

実はヤハウェの像も、つくられたことがあるらしい。最初は、石の柱を立てていた（あとでは禁止されます）。ヴェーバーは、偶像崇拝をしないユダヤ人に、こんな皮肉を言っている。なぜ、ヤハウェの偶像がないのか？　それは技術水準が低くて、偶像がつくれなかったから。偶像崇拝がいけないというのは、負け惜しみなんですね。

ともかくイスラエルの民は、先住民の神々（偶像）を拝むのを禁止して、ヤハウェだけを信仰しようとした。それでも、バアルを拝む人びとはあとを絶たなかったので、流血事件も起こっています。たとえば、王妃のイザベラがバアル神を拝んだので、預言者エリヤがバアルの祭司四百五十人を殺害した事件（『列王記上』18章）は有名です。

……という具合に、だらだらと、ユダヤの歴史を話し続けてもいいのかな？

大澤　どうぞ。最後までお聞きします。

4　ユダヤ民族の受難

橋爪　じゃあ、次のポイントは、王が登場すること。
戦争するには、王がいたほうがいい。イスラエルの民は、サウル、ダビデ、ソロモンといった王を選んだ。でも、誰がどうやって選べばいい？　サムエルという預言者がいて、サウルに油を注いで、最初の王にした。サムエルになぜそんな権限があるかというと、ヤハウェの声を聴いたから。Ｇｏｄがいると、Ｇｏｄが選んだからという理由で王制をつくりやすい。こうして、ヤハウェ信仰と王制が結びついた。これが、ユダヤ教の歴史の、二番目の転換点です。

Ｇｏｄが王を任命するのだとすると、王を相対化できる。王がなにか間違いをしたら、預言者がＧｏｄの声を聴いて、王を批判しに乗り込んでくる。「王は間違っている、なぜなら、神との契約に反して……」みたいなことを、演説して歩くこともできる。

たいていの国だったら、王は、自分を批判する人間なんか、すぐ捕まえて死刑にしてしまう。殺されてしまうから、王を批判する知識人の社会的影響力なんて、ないに等しい。でも、Ｇｏｄの言葉をのべている預言者を、すぐ死刑にはできないでしょう。ちょっと様子をみているうちに、預言が社会的影響力をもってしまうんです。王制が始まると、王を批判する預言者もつぎつぎ現れるようになった。そうした預言は、そのうち、預言書にまとめられるようになった。

預言者のやっているのは、イスラエルの民をとりまく国際情勢や国内政治を、ヤハウェの目でみることなんです。王の行動が、ヤハウェ信仰に照らして正しいかどうか、チェックする。

こういう預言がつみ重なって、ヤハウェ信仰は、さらにつぎの段階に進みます。

イスラエルの民をとりまく国際情勢は厳しさを増し、アッシリアが攻めてきて、ついに北のイスラエル王国を滅ぼしてしまった（紀元前七二二年）。ソロモン王のあと、北のイス

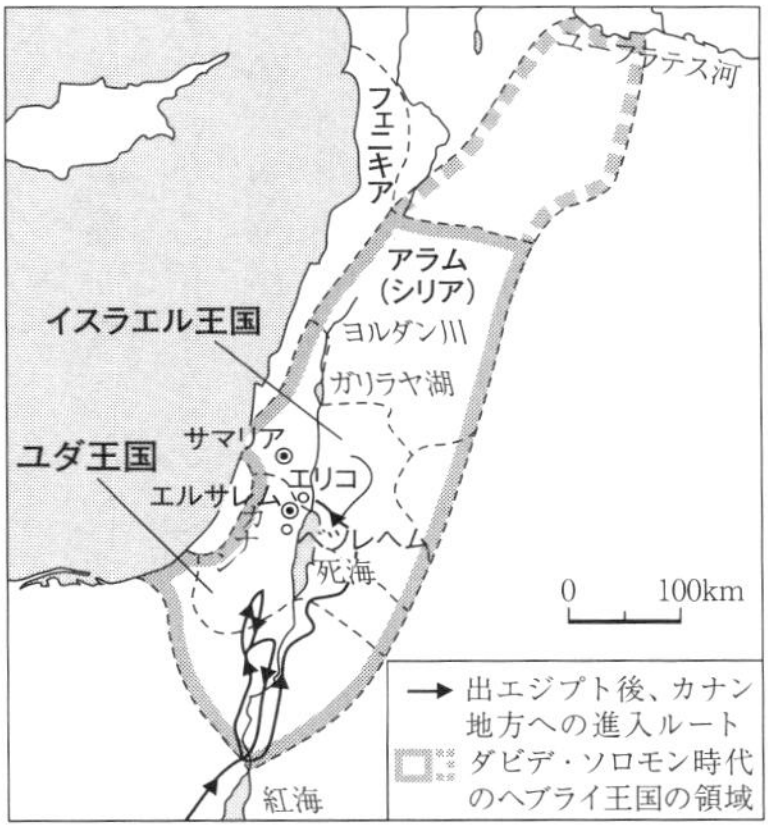

カナン周辺地図

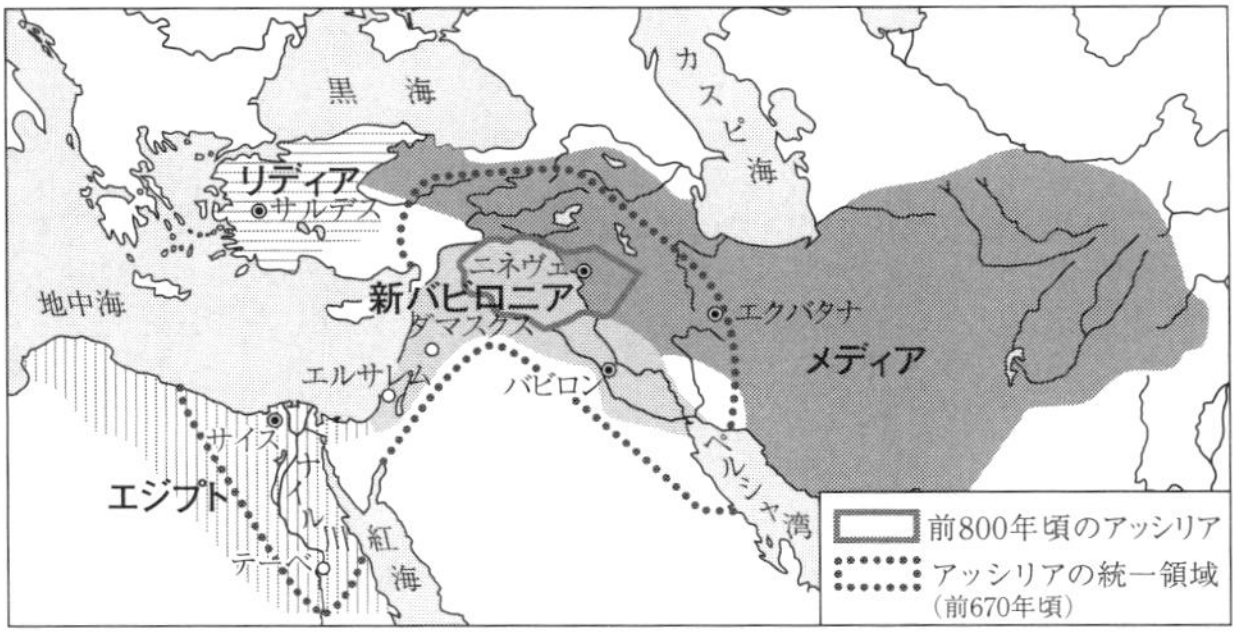

ユダ王国滅亡当時のオリエント世界（前600年頃）

ラエル王国と南のユダ王国とに分裂していたのです。その北半分、首都のサマリアが陥落し、人びとはアッシリアに連れ去られて、歴史からかき消えてしまいます。そのあと、新バビロニアという国が興って、ネブカドネザル王がユダ王国を攻め、エルサレムを攻略してしまうのです。王や主だった人びとは、バビロンに連れ去られた(バビロン捕囚)。

いったいなぜ、こんな苦しみにあうのだろう。ヤハウェはなぜ救ってくれないのか。人びとは悩みに悩んで、こんなふうに考えるようになった。

ヤハウェは、われわれだけの神ではない。世界を創造し、世界を支配している。アッシリア、バビロニアが攻めてくるのも、ヤハウェの命令だからだ。われわれがヤハウェに背き、罪を犯したから、懲らしめのためである。つまり、われわれに原因がある。この試練を耐え忍び、これまで以上にヤハウェを信じれば、外敵は除かれるに違いない……。

ここでヤハウェは、イスラエルの民の神から、世界を支配する唯一の神に格上げされているんです。ヤハウェが自分たちだけの神なら、ほかの民族が彼らの神を拝むのは仕方がない。でも、それはもう認めない。ヤハウェは唯一の神で、世界を支配している。ヤハウェ以外の神は、神でなく、偶像にすぎない。こういう信念に成長した。

バビロンに捕囚されたのは、ヤハウェの計画で、なにか理由がある。だから我慢した。預言者の預言のとおりに捕囚され、預言のとおりに解放された。帰還して、エルサレムの神殿を再建することもできた。やっぱりヤハウェは偉大だ、というわけで、ヤハウェ信仰は前より強まったのです。

バビロンには、天地創造の神話や大洪水の物語などがあって、それを取り入れた。聖書の冒頭の『創世記』も、こうして出来あがった。ただし元の物語のままではなく、ヤハウェ信仰に合うように編集が加わっています。

さて、ヤハウェにどうやって仕えるか。それには、三通りのやり方があった。

第一は、儀式を行なう。牛や羊などの犠牲を献《ささ》げるのですね。犠牲の献げ方にもいろいろあるが、特にヤハウェに献げる場合には、「全焼の供犠《くぎ》」といって、黒焼きにした。

第二は、預言者に従う。ヤハウェの言葉を伝える預言者に、人びとは従った。

第三は、モーセの律法（聖書にまとめられている）を守って暮らす。

この三つのやり方があって、どれも大事ということになっていた。

ところが、この三つのやり方の中心となる人びと（祭司、預言者、律法学者）が、お互いに仲が悪いのです。

イエス・キリストの時代には、神殿で儀式を行なう人びとはサドカイ派、律法を守る人びとはパリサイ派、と呼ばれていた。この二つのグループが、ユダヤ人社会を取り仕切っていた。

いっぽう、洗礼者ヨハネや、その流れをくむイエスは、預言者のグループだった。王制の時代には、預言者が大勢登場したのですが、律法が整備されると、預言者は登場しにくくなった。バビロン捕囚から戻ってからは、預言者が現れなくなる。実際には現れたのでしょうが、見つけ次第、弾圧されるようになった。洗礼者ヨハネもイエスも、当局者に目をつけられ、結局、殺されてしまうのです。

神殿で儀式を行ない、ヤハウェに犠牲を献げるのが、祭司たちです。サドカイ派は、こういうグループだった。バビロンに捕囚されていたあいだ、神殿がなくなってしまいましたから、祭司の地位は落ちたんです。犠牲を献げるかわりに、律法を守ることしかできないから、律法学者の地位が上がった。でも戻ってきて、神殿を再建したあと、また祭司たちの力が強くなった。こういうふうに、対抗関係があったんです。

イエスが処刑されたあと、エルサレムの神殿が破壊され、神殿を拠点にしていた祭司がいなくなった。預言者もとっくにいない。律法学者だけ残った。これが、いま私たちが知っているユダヤ教です。

律法学者を、ラビと呼びます。彼らは、ユダヤ社会に欠かせない存在です。そうやって律法を守り、二千年の歴史を歩んできた。

大澤　なるほど。旧約聖書に書かれている歴史というのは半分事実で半分作り話だと思うので、客観的な宗教史を考えるうえでは、すべてを鵜呑みにはできません。いまおっしゃったように、ユダヤ教がほんとうに「らしさ」をつくってくるのはおそらくバビロン捕囚の前後ぐらいではないかと思います。その頃に成立した世界観が過去に投影されて、旧約聖書の「歴史」が成立しているのでしょう。つまり、バビロン捕囚の頃におおむね完成したユダヤ教の観点から、過去の事実が再解釈されたり、ときに創造されたりしているのではないかと思うのです。だから、バビロン捕囚以前のユダヤ人たちの宗教は、若干は周囲の宗教と違うかもしれませんが、まあそんなに驚くほどには違っていなかったかもしれない。おそらくバビロン捕囚が非常に大きな歴史的経験で、それが今日のユダヤ教のユニークネスの根拠になっているのではないか、と推測します。

5　なぜ、安全を保障してくれない神を信じ続けるのか

大澤　先ほど橋爪さんがおっしゃっていた非常に重要なポイントで、聞いていてなるほどと思ったのは、ようは神との関係は安全保障である、ということです。もちろん宗教家はこの教えは優れているからとか、宗教に内在的な論理をつけるでしょうけれども、古代世界のことを考えれば、一種のセキュリティのために神を信仰したのだと思うんですね。現

代のような世俗化された社会にいると、どの神を信じるかと国の安全とは無関係であると考えますが、古代世界においてはそんなことはなかったでしょう。神こそが、安全保障上の要だったはずです。

しかし、その観点で考えたときに、ユダヤ教に関してどうしてもふしぎに思うことがあります。つまり、ユダヤ教の歴史を見るとほとんど連戦連敗なんですよね。たとえば、日米安保条約があったおかげで日本がすごく安全になったというなら、この条約は続けていこうとなるわけですけど、もし日米安保条約があるのに侵略を受けたり戦争に負けたりしたら、条約を解消したり別の国と安保条約を結んだりするのがふつうですよね。

ところがユダヤ教の歴史は、はっきり言って連戦連敗。旧約聖書の範囲内でちょっとは勝ったかなと思えるのは、しいて言うと、エジプトで奴隷だったユダヤ人が、モーセに率いられて奇跡的に脱出し、その後、最終的にヨシュアのおかげでカナンの地に入ったとき、ほとんどこのときだけです。

橋爪　あと、ダビデ王ですね。

大澤　そうですね。ただ、ダビデ王については留保が必要だと思っています。たしかに、ダビデは理想の王様だとされていて、王国も繁栄したことになっている。しかし、ダビデ王の後にソロモン王の時代になり、王国自体はますます繁栄しているのに、先ほどの橋爪さんの話にもあったように、預言者たちはいろんな意味で王国に対して非常に冷たくて、どちらかと言うと足を引っ張っていますよね。言い換えれば、王国の繁栄も——ダビデの時期を例外として——必ずしもヤハウェのおかげであるとは解釈されていない。むしろ、ヤハウェに背くものであるとさえ見なされている。

さらに、そのあと王国が南北に分かれて、半分滅びるだけならまだしも、やがて残りもバビロニアによって滅ぼされ、ついに全部なくなってしまう。そのうえで、主だった者はバビロンに捕囚されてしまった。後になって解放されたと言ったって、そもそも捕囚されなければ解放されないわけですから、ユダヤ人たちが相当ひどい目にあっていることには変わりない。どれほど我慢強い人であっても、そのあたりでヤハウェとの安保条約を解消してもよさそうなものです。ところが、まさに、安保条約を破棄してもよさそうなその時期にこそ、ユダヤ教は磨きがかかり、ほぼ完成した。これはいったいなぜでしょうか？

疑問を補足するために、思考実験として一神教が出てくる歴史的なプロセスをシミュレートしてみると、一般に考えたくなるのは、次のような構図ではないかと思うのです。一神教の神様の歴史的な起源は、軍事的に一番強い民族や部族や共同体によって信仰されていた神様ではないか、と。

ある部族なり共同体なりが周囲の共同体を軍事的に制圧していくことで、敗北した共同体も、その最も強い部族や共同体の神様に帰依するようになる。その際、敗北した共同体が奉じていた神様も、その強い共同体の神様の配下にあるような従属的な神々として位置づけられる。つまり、最初は、一種のパンテオン（万神殿）のようなものになるわけです。古代ギリシアのゼウスと他の神々のように、神の間にランクが付いているけれども、たくさん神がいるような状態ですね。さらに、戦いに勝利して覇権を握った共同体の力が軍事的にも社会経済的にも圧倒的になってくると、その強い共同体の神に対して、敗北した他の共同体の神々はもはや神に値しないということで駆逐される。そうして、結局、最も強い神だけが勝ち残り、一神教が成立する。こういうのが、一神教の成立過程として想像したくなるものですし、実際に、これに近い過程も歴史の中ではあったと思うのです。

ところが、実際のユダヤ教の歴史に関してはまったくそういうふうにはなっていない。周囲に猛烈に強い国があるにもかかわらず、そっちの宗教、たとえばエジプトの太陽神信仰とかファラオ信仰が今日まで影響を保ったなんていうことはない。逆に、最も弱小であったところの神が生き延びて、歴史に多大な影響を残した。これは、非常にふしぎな感じがするんですよね。

それにもっと極論すると、ユダヤ人にとって一番危険なのは、実は周囲の帝国ではなく、神様自身なんですよね。ユダヤ人自身が用いた論理——神様はユダヤ人の神様ではなくて、世界の神様だったんだ——でいくと、バビロニアがユダ王国を滅ぼしに来たのも神の意思だということになるからです。神様が一番自分たちに災厄をたくさんもたらしていることになる。

これはつまり、アメリカと安保条約を結んでいるつもりでいたのに、よく見たら、国連と安保条約を結んでいた、というのと同じです。だから、ユダ王国を攻めるネブカドネザルの軍隊は、勝手に侵略してきたわけではない。国連の委託を受けて軍事制裁のためにやってきたのだ、と。これって詐欺じゃありませんか？　ヤハウェは国連なので、最初からお前だけを守る気はないぞ、というわけです。むしろ、お前らユダヤ人は悪いことをしたから経済制裁・軍事制裁を浴びているんだ、という話にすり替わっている。

こういうことにしてまで信仰を保つなんて、ユダヤ人はちょっとお人よしなのではないかとさえ思えます。安全保障のために契約した神がちっとも安全を守ってくれなかったのに、なぜ信仰がいささかも衰えなかったんでしょう？

橋爪　三通りの答え方があると思います。

一番目は、いじめられっ子の心理。イスラエルの民は弱いので、いじめられる。それをずっと覚えているんです。相手は忘れても、いじめられたほうは覚えている。

さて、いじめられっ子はいじめられると、相手が悪くて、自分は悪くないと思う。思うんですけれど、それでも毎日いじめられると、自分にも何かいじめられる理由があるのかも、と思うようになるんですね。着ていた服が悪かったのかとか、言葉づかいが悪かったのかとか、反省してつぎの日に直してみても、やっぱりいじめられる。どうやっても自分はいじめられる存在なんだと、思い知るしかない。

いじめられるという状態を受け入れ、それでも自尊心を保つにはどうしたらいいか。それを考え始める。これは試練なんだ。いじめる側は知らなくても、これは隠れた計画があって、いじめられることで自分が鍛えられているんだ、耐え忍ぶことが大切だ、みたいに考える。みじめな現実を合理化する心理ですね。いじめっ子に言わせると、なにバカなこと考えているんだ、ですけど、いじめられっ子には、ほかに考えようがない。

二番目。心理学の実験で「どれぐらいであきらめるか」というのがある。コインを入れるとバナナが出てくる機械があって、サルを条件づけ学習させて、バナナを取り出すことを覚えさせる。覚えたところで、バナナを出すのをやめると、二、三回やっても出てこないと、すぐあきらめてしまう。ところが、バナナが必ず出てくるのではなくて、まぐれにときどき出てくる仕掛けにしておくと、それで学習したサルは、途中からバナナが出てこなくなっても、なかなかあきらめない。もしかしたら出てくるかもと、ずっと試し続けるのです。イスラエルの民は、おおむね負けているけれど、たまには勝つんです。すると、今度こそ勝つんじゃないかと、千年ぐらいたってもまだ、同じことをやっている。

さて、最後に、もう少し本気の答えを言いましょう。イスラエルの民の危機が、二段階で起こったという点が、大事だったと思います。

イスラエルの民には、ヤコブの十二人の息子をそれぞれ先祖だと信じている、十二の部族がある。それぞれ割り当てられた場所に住んでいるんですけど、南側のユダ族が広い面積を占めていて、北側にのこりの部族がいる。初代のサウル王は、北側にもつながりのあるベニヤミン族の出身だった。ダビデ王は、南側のユダ族の出身だった。ソロモン王はダビデの息子で、やっぱりユダ族です。ソロモンの没後、北側と南側は折り合いが悪くて分裂して、イスラエル王国とユダ王国に分かれてしまった。

そのあとアッシリアが攻めてきて、まず北のイスラエル王国が滅ぼされた。アッシリアは、苛酷な政策をとっていたので、宗教の自由がなかった。イスラエル王国の住民は捕虜となって、まるごと移住させられ、周囲の民族に同化吸収されて、消滅してしまった。跡地には、遠くから異民族が入植させられます。彼らは、だんだんユダヤ教に改宗して、サマリア人になった。サマリア人は、ユダヤ教徒ですけれど、異民族だったので、差別されました。いまでもサマリア教団が残っていますが、ユダヤとはちょっと別なグループなのです。

大澤　イエスのたとえ話に出てくる「善きサマリア人」の……。

橋爪　その、サマリア人です。イエスの時代にも差別が続いていた。

北のイスラエル王国の滅亡を見ていたユダ王国は、非常な危機感を持ちます。うかうかしていて外国に攻められると、民族は雲散霧消してしまう。政治的国家が壊滅しても、民族的アイデンティティが保てるようにしよう。イザヤ、エレミヤ、エゼキエルといった預言者たちも、警告を発しました。

それからユダ王国の、ヨシヤ王も重要です。この王は、宗教改革を実行した（紀元前六二二年）。神殿をよく探したら、モーセの律法の書が発見されたというんだけれど、こんな重要な書物が、こんなタイミングで見つかるのは出来すぎている。ヨシヤ王が命じて、編纂させたのだと思います。そしてその書物を、みんなの前で読み聞かせた。ヤハウェの神殿に祀ってあった偶像を取り除いたり、あちこちの聖所で香を焚いていたのをやめさせたりした。それまで多神教状態だったのを、浄化して、ヤハウェ信仰を強化したのですね。

6　律法の果たす役割

大澤　ユダヤ教にとっては、律法つまり法律が重要ですよね。でも日本人にとっては、法律と宗教は別のものなので、律法とは何か、何のためにうるさい律法があるのかピンとこないのではないかと思います。

橋爪　ユダヤ教の律法（宗教法）とは、どんなものか。

これを、「厳密ルール主義」と呼ぶといいと思う。

ユダヤ教の律法は、ユダヤ民族の生活のルールをひとつ残らず列挙して、それをヤハウェの命令（神との契約）だとする。衣食住、生活暦、刑法民法商法家族法……、日常生活の一切合切が、法律なのです。

もしも日本がどこかの国に占領されて、みながニューヨークみたいなところに拉致されるとする。百年経っても子孫が、日本人のままでいるにはどうしたらいいか。それには、日本人の風俗習慣を、なるべくたくさん列挙する。そして、法律にしてしまえばいいんです。正月にはお雑煮を食べなさい。お餅はこう切って、鶏肉と里イモとほうれん草を入れること。夏には浴衣を着て、花火大会を見物に行くこと。……みたいなことが、ぎっしり書いてある本をつくる。そしてそれを、天照大神との契約にする。これを守って暮らせば百年経っても、いや千年経っても、日本人のままでいられるのではないか。こういう考えで、律法はできているんですね。

モーセの律法をまとめたモーセ五書（旧約聖書の最初の五つの書物）の、たとえば『申命記』をみると、食物規制が載っている。食べてよいもの、食べてはいけないもののリストです。清いものは食べてよい、穢れたものは食べてはいけないと、神が決めた。イノシシ（ブタ）とかラクダとか、ひれやうろこのない魚とか、食べてはいけないものがいろいろある。そこで、うっかり食事ができなくなる。そのほか、安息日、割礼、服装など、さまざまな規則がある。

イスラム教も、生活のルールを定める宗教法をワンセット持っている点では、ユダヤ教とそっくりです。

違うところは、イスラム教は勝ち組の一神教。ユダヤ教は負け組の一神教。どちらが本物かというと、負け組のユダヤ教だと思う。ユダヤ教が、防衛的な動機でもって、一神教の原型（プロトタイプ）をつくった。国家はあてにならない。あてになるのはＧｏｄ（ヤハウェ）だけだ。Ｇｏｄとの契約を守っていれば、国家が消滅しても、また再建できる。こういう考え方だから、政治情勢がどうあろうと、信仰が持続するんです。そうやってユダヤ民族は、自分たちの社会を二千年にわたって保ってきた。イスラエルが建国できたのも、ユダヤ教の戦略の正しさを証明していると言えるのです。

大澤　いろいろ非常に明快になりました。これは半分は想像で、半分はいろいろ読んだもののからの判断ですけど、おそらく契約という発想が定着してくるのは、北王国が滅びて南王国だけが残ったときじゃないかなと思います。

ヤハウェに帰依しているのになんで半分滅びてしまったのかと考えたときに、ヤハウェが条約を守らなかったと考えるのではなくて、民のほうがきちんと約束を守らなかったんだと考えればいいわけです。そうすれば、ヤハウェへの信仰も保てるし、また一部の民が敗北してしまったという事実も説明できます。契約をきっちりと守らなかったほうは、滅びてしまったんだ、と。つまり、神との契約＝約束という設定は、北王国が滅び、南がなんとか残ったという現実を説明するのにとても都合がよい。だから、神との契約というアイデアが完成したのは、北王国だけが滅びてしまった頃ではないか、と思うのです。

ただ、半分が滅びて半分が残ったときはよいのですが、そのあとに、一生懸命契約を守ろうとしたはずの南のほうもひどい目にあって、約六十年間のバビロン捕囚になる……六十年というと一人の人間の一生分、一世代以上の長さですから、かなりひどいことでしょう。だから、完全に負けてしまったにもかかわらず、信仰が残っていくというのはやはりふしぎなところではないかなと思います。マックス・ヴェーバーの『古代ユダヤ教』も、この点を最大の主題としていました。

本来は、神との約束を守っていれば安全なはず。なのに、負けてしまった。こういう状況を解釈し、耐え得るものに変換するやり方は、論理的にはいくつか考えられますね。たとえば、今は負けているが、将来は勝つことが予定されている、と解釈する。あるいは、現実の政治的敗北を、観念的な「勝利」で置き換えるやり方もありえます。つまり、政治的・軍事的に勝利して、繁栄している敵は、ほんとうは堕落していて、負けているように見える自分たちのほうが、精神的に高貴だと見なす。ニーチェだったら、これを奴隷道徳というわけです。このように、負けたという現実を解釈して、信仰や自尊心を保つ論理は、いくつか考えられますが、ユダヤ教がきわめて特殊な仕方で維持されてきたことは確かです。

7　原罪とは何か

大澤　これと少しばかり類似した、ふしぎなことをもう一つここで挙げておけば、「原罪」という観念です。ある神を信仰したり、ある神に帰依することで、自分の肯定的なアイデンティティが得られるならわかりやすい。ふつうはそうだと思います。自分たちのほうが肯定的で、そうじゃないやつは否定的だとみる。しかし「原罪」という観念があると、まさに神を信仰することによって、否定的なアイデンティティを得ることになる。これは、きわめて奇妙な心理ではないでしょうか。

橋爪　原罪はキリスト教の考え方なので、ずっと後で出てきます。

大澤　『創世記』には原罪の起源のようなものはないんですか？

橋爪　ないんです。

大澤　禁断の木の実を食べたという話は『創世記』に入っていますよね。これはじゃあ、必ずしも原罪の観念とは関係がない？

橋爪　関係ない、です。

大澤　そうすると原罪というのが出てきたのは、キリスト教になってからということですね。

橋爪　ユダヤ教には、原罪という考え方はない。

大澤　なるほど。いずれにしても原罪のふしぎは残りますね。キリスト教徒は、なぜ、こんな奇妙な観念を受け入れるのか。たしかに、原罪がないと、キリストによる罪の贖《あがな》い、ということもわけがわからなくなってしまいますが。

橋爪　原罪については、キリスト教を扱う第2部でのべますが、少し先回りして話したほうがよさそうですね。

まず、罪について。そして、原罪について説明します。それから、なぜこんなにありがたくない神ヤハウェを拝むのか、という話をします。

そもそも、罪とは何か。罪を定義するなら、「神に背くこと」です。具体的に、禁止された行為を行なう（命令違反）。あるいは、命じられたことをしない（怠り）。怠りを、不作為の行為と考えれば、要するに罪とは、行為なんです。行為が罪とされる。その判定規準は、Ｇｏｄとの契約（律法）ですけれど、要は、神の命令に背いたかどうかがポイント。この点は、ユダヤ教、イスラム教、まったく同じです。

キリスト教だけが、これに加えて、原罪という考え方を持っている。じゃあ、原罪とは何か。これは、罪をもっと徹底したもので、しょっちゅう罪を犯すしかない人間はその存在そのものが間違っている、という考え方です。人間そのものが間違った存在であることを、原罪という。

これがどんな感じかというと、こう考えるとわかりやすい。石はなぜ、天に向かって投げ上げても、必ず地上に落ちてくるのか。アリストテレスによると、石はそもそも大地に属し、天に属さない。だから、本来の場所である大地に戻って来ようとする。いっぽう天体は、天が本来の場所なので、落ちてこないのです。人間もこれと同じで、神に従おうと思っても無理で、どうしても背いてしまう。罪を犯さざるをえない本性をもっている。まだ何の行為もしていない、生まれたばかりの赤ん坊にも、罪がある。生まれてしまってごめんなさい、なんですけれど、これを原罪と呼ぶのです。原罪は、行為に先立つ、存在の性質なんです。

すると、神との契約を守ろうにも、守れないわけですから、神に救われるなんて無理である。そうすると、ウルトラCを持ち出すしかない。それが、イエス・キリストで、イエスを神の子、救い主だと受け入れた人は、特別に赦されるかもしれない、ということにした。まあ、裏口入学みたいなものですね。このあたりのことは、キリスト教のところで詳しく話しましょう。

8　神に選ばれるということ

橋爪　さて、神様はいじめっ子とどう違うか。

まず、いじめられるユダヤ民族の側に、必ずそれだけの原因がある。それから、神様はいじめっ子というより、担任の先生みたいな感じで、いじめられっ子だけでなく、いじめっ子（アッシリアやバビロニア）のことも考えている。

『ヨナ書』という書物があります。あらすじを言うと、ヨナという人がいて、ニネベに行って預言をしなさいと、神に命じられます。ニネベはアッシリアの首都で、そんな異教徒の国のど真ん中で、ヤハウェの言葉を伝えるなんて、自殺行為です。ヨナは嫌だから、反対の方向に向かう船に乗った。でも、沖合に出たら大嵐になって、「こいつのせいだ」と、ヨナは海にほうりこまれた。そうしたら、大きな魚に呑まれて、その腹の中に三日三晩いて、海岸に吐き出される。命が助かった。それでニネベに行って、預言をすることになります。神様は魚を使って、嫌がるヨナを任務につけた。逃れられないんですね。ちなみに、三日間というのは、イエスの復活までの期間と同じです。

というわけで、ヨナは、言われたとおりに預言をした。そうしたら、ニネベは悔い改めたんです。悔い改めたから、ヤハウェはニネベを破滅させないことにした。そうしたらヨナは怒った。「えっ、私は何のために来たの？」。ヨナはニネベが破壊されるのを楽しみにしていたのです。そうしたらヤハウェは、いや、私は悔い改めたニネベが栄えるのを見るのがうれしい、と答える。

ヤハウェは、すべての民族のことを心配する神になっちゃったんです。

大澤　ユダヤ教の神様というと、ユダヤ人という特殊な民族のための神様だと思いがちですが――まあ客観的に言えばユダヤ人の神様なんですけど――、ユダヤ人の観点からすれば、宇宙全体を統轄する、すべての民族の神様なんだということですよね。だからこそ、新バビロニアのネブカドネザルも、ヤハウェの意思にそった形で行動していることになります。しかし、そういうユダヤ人の主観的な世界を考えたときに、またしてもふしぎなことがあります。

ヤハウェはすべての民族の上に立つ神でありながら、どういうわけかユダヤ人を選んだのです。ユダヤ人を選んで、ユダヤ人に対して救済を約束した。しかし、これはユダヤ人にとって、不可解なことではありませんか。ある意味で、トラウマにさえなりうることだと思います。なぜ私たちが選ばれたのか？　という疑問が原理的に解けないからです。

たとえば、対照させるために天照大神を考えてみます。天照大神は日本人の神様です。だから、アメリカを使って日本人を懲らしめるなどということはしないし、できない。天照大神が、日本人を優遇したとしても、さしてふしぎではありません。私のお母さんが、他の子ではなく私をかわいがっても、それは自然に受け入れられます。

しかし、クラスの担任の先生が、何の理由も示さず、クラスの代表として挨拶するようにと私を選んだらどうでしょうか。なぜ私なのか、と考えずにはいられない。そして、納得のいく理由が見つかればよいですが、どこをどう探してもそんな理由がなければ、選ばれたという事実に、私はけっこう苦しむでしょう。どうして、私にそんな重い役割が与えられたのだろうか、と。

すべての民族の神様であるようなヤハウェが、私たちユダヤ人を選んだ、という状況もこれに似ています。

なにしろ宇宙を創造したお方が選んでいるのだから、ユダヤ人は、宇宙史的な価値をもつものとして選ばれた。しかし、周囲の他の民族や部族や帝国と比べて、とりたてて優れているわけでもない、何の変哲もないユダヤ人が、それほど大それたものとして選ばれたとしたら、ユダヤ人としては、それをどう納得すればよいのでしょうか。ユダヤ人が、ヤハウェから見て十分によいとは言えない証拠に、ユダヤ人はしょっちゅう罰せられているし、戦争に負けたりもしている。それなのに、ユダヤ人は神に選ばれていることになっている。これはユダヤ人にとって容易に解消しない衝撃だと思うのです。ユダヤ人は、この衝撃をどう受け入れているのでしょうか？

橋爪　選ばれたことを、理由はわからなくても、感謝して受け入れます。

神と人間のあいだに立つのが、預言者でした。預言者が神の声を聞いて、人びとに伝えないと、神との関係は始まりません。

さて預言者は、どんな言葉を話すか。外国語というわけにはいかないから、預言者の母国語でしょう。そうすると、その言葉がわかる民族と、わからないよその民族がいる。こうして選ばれたのが、ユダヤ民族なんです。

なぜユダヤ民族が、神に選ばれたのか。わからない。わからないけれど、これは素晴らしいことだ。ユダヤ民族の誇りの源泉だし、神の恵みなんです。ほかの民族は異教徒で、気の毒で、偶像崇拝をしている悪い連中でもある。下手をすれば、差別にもなりかねないのが、選民思想です。さっきのいじめられっ子の心理だと、「なぜ自分だけがいじめられるんだ？　それは自分が、選ばれたからなんだ」というふうに、コンプレックスをプライドに変換できる。もっとも、そんなプライドがあると、なおいじめられるから、またコンプレックスがうまれる。コンプレックスがあるからプライドを持つようになったのか、その逆なのか、もうわからなくなる。

『創世記』にユダヤ民族のことがどう書かれているかというと、まずヤハウェは、世界のすべての民族の神です。人類を創造した。人類とは、アダムとイブの子孫。つまり、ユダヤ民族だけの神ではない。

そのあとヤハウェは、ノアに語りかける。神の声を聞いたノアは、預言者みたいなものですが、ノアの一族以外の人びとは洪水で全滅していますから、人類の一部分に語りかけたわけではない。

ノアの子孫が地上に拡がったあと、ヤハウェは今度は、アブラハムに語りかけた。人類の一部に語りかけたというのは、アブラハムが最初でしょ？

大澤　言われてみると確かにそうですね。

橋爪　これが、イスラエルの民（のちのユダヤ民族）の出発点になる。

アブラハムは最初、ウルというところに住んでいた。チグリス・ユーフラテス河の下流にあった大きな都市国家です。まあ、東京みたいな大都会に住んでいたのに、「これから樺太に行け」みたいなことを言われた。突然だし、ふつうなら「えーっ」て思うわけですが、アブラハムは従順に聞き従って、故郷を捨て、一族を連れて、見たこともないはるかな約束の地を目指すのです。

アブラハムの妻サラは子どもに恵まれなかったので、サラの勧めで、アブラハムは仕《つか》え女《め》ハガルの寝床に入った。そして、イシュマエルという男の子が生まれた。ところがそのあと、高齢のサラにも息子（イサク）が生まれたので、ハガルとイシュマエルの親子二人は、天幕を追い出されます。ああ死んでしまうのですねと砂漠で泣いていると、神の使いが現れて、イシュマエルは砂漠の民（アラビア人）の先祖になるのだと、勇気づけた。アラビア人は、こうしてユダヤ人から分かれたと考えられている。

アブラハムのあと、イサク、ヤコブ……と続くイスラエルの民はどうなったかというと、飢饉を逃れてエジプトに移り、そこで外国人労働者（奴隷）として建設作業などをやらされながら、人数が増えて六十万人にもなった。それが、モーセに率いられて、エジプトを脱出した。そしてシナイ半島を四十年間さまよい、カナンの地（いまのパレスチナ）に戻ってきます。そして、先住民と争いながら、農耕民族となって定着し、十二部族ごとにそれぞれの地域に落ち着いた、と書いてある。

モーセのあとにも、預言者が大勢現れ、ヤハウェはイスラエルの民に語りかけ続ける。アブラハムの子孫以外には、預言者が現れない。この意味で、彼らは、神に選ばれた民族なのです。

さて、さっきからの問題を片づけましょう。ヤハウェがユダヤ民族を選んだのは、担任の先生が大澤さんを指名するのと、どこが違うか。

一神教は、たった一人しかいない神（God）を規準（ものさし）にして、その神の視点から、この世界を視るということなんです。たった一人しかいない神を、人間の視点で見上げるだけじゃダメ。それだと一神教の半分にしかならない。残りの半分は、神から視たらどう視えるかを考えて、それを自分の視点にすることなんです。

多神教は、神から視るなんてことはどうでもいい。あくまでも人間中心なんです。人間中心か、神中心か。これが、一神教かどうかの決定的な分かれ目になります。

神が規準だから、ふつうの発想と違った奇妙なことも起こる。たとえば、ものの長さを例にすれば、ある棒の長さを、「これは何メートル？」と聞くことは、意味があるでしょう。ものさしで測ればいいんだから。では、メートル原器という一メートルの長さの金属の棒にむかって、誰かが「メートル原器さん、あなたはなんで一メートル？」と聞いたとすると、メートル原器はなんと答えるか。ちょっと不機嫌に、「おれが一メートルだ。文句あるか」ですね。ほかに答えようはない、そう決めたんだから。これが規準というものなのです。いまの質問は、ほかの質問とは違っていて、答えられない。

一神教も、唯一の規準を定めたという点では、メートル法と似ている。

一神教の神は、自分が正しさの規準なので、「あなたはなぜ正しいのですか」と聞いても、理由を教えてくれない。端的に正しい。そういうものなんです。人間のつとめは、神の言うとおりにすること。なかなかうまくいかなくてもへこたれないで、「この瞬間も神は私のことを考えてくれているんだ」と信じて、神と対話しながら、神に従い続ける。こういうコミュニケーションを絶やさないことが、神の最も望むところである。人間にとっては、人生のすべてのプロセスが、試練（神の与えた偶然）の連続なのであって、その試練の意味を、自分なりに受け止め乗り越えていくことが、神の期待に応えるということなんです。ユダヤ民族も、外国と戦って連戦連敗といった状態ですが、戦争に勝つか負けるかは実はあまり問題じゃない。試練なんですから。

試練とは、神が人間を「試す」という意味ですね。神は人間を試していいんです。人間が神を試してはいけない。

大澤　なるほど、一神教の神とのコミュニケーションというのは、端的にコミュニケーションの不可能性ですよね。人間の規準では、コミュニケーションできなかったということが、むしろ、神とコミュニケーションしたことになる。人間同士であれば、成功したコミュニケーションというのは、互いに理解し合うことです。しかし、一神教の神に対する場合はまったく異なり、不可解であるということをそのまま受け入れることが、神との正しい関係になる。たとえば、神はユダヤ人を選んだけれども、その意図はさっぱりわからない。そのわからないということをそのまま受け入れることが、神との正しい関係だというわけですね。

9　全知全能の神がつくった世界に、なぜ悪があるのか

大澤　ユダヤ教やキリスト教を理解するためのポイントは、一神教のＧｏｄは、ほんとうに超越的な神、全知全能の神であるということではないかと思います。そのような神を信仰するということがどういうことか、どうしてそういうものを積極的に受け入れることになるのか、それを体得することが重要です。

すでに信仰の立場に入っている人の論理としては、もちろん、そのような超越的な神がいることが、人の生の前提になって、そこから演繹される説明というものがあります。し

かし、経験科学の立場からすると、実は、何らかの社会・心理的な要因が積み重なっていって、人びとは――この場合にはユダヤ人は――そのような前提を受け入れるようになったはずです。そして、いったん受け入れてしまうと論理が全体として逆転してしまう。ユダヤ人が選ばれたのは不可解なり、でもそれはそうなんだ、神様は極端に偉大で、人知ではとうてい及びえないのだから……、となるわけです。しかし、そういう不可解な神様を受け入れるに至るまでの過程や社会的メカニズムがあったはずです。あるいは、そのような神の存在を前提にすることが、その人びとの生き方の中でいかにも説得力があると実感される、客観的な原因があったはずで、それを知りたいと思います。

こうしたこと、つまり神の圧倒的な超越性ということとの関係で、一つうかがいたいことがあります。キリスト教の神学でもしばしば話題になることですけど、神が全知全能でそれほどまでに完璧であるとすれば、なぜ我々が住んでいるこの世界、神が創造したこの世界は、これほど不完全なんだろうか。よく提起される疑問は、神がつくった世界の中になぜ悪があるのか。

これは中世のキリスト教神学でも頻繁に問われている疑問です。トマス・アクィナスなど、多くの哲学者・神学者が、この世界の悪や不完全を説明する、さまざまな論法のヴァージョンを一生懸命提起してきました。このことは、実際に一神教を受け入れている人たちにとっても、いかにこの点が不可解であったかを示しています。

神が創造したこの世界が、どうしてこんなに欠陥だらけなのか。

この点に関しては、人間の目からは欠陥だらけに見えるが、神の観点からは完璧なのだ、という説明もあまり納得できません。というのも、聖書を読むと、神自身が後悔したり、「間違った」と思っているんじゃないか、と解釈できる場面がいくつかあるからです。一番わかりやすい例は、先ほどの大洪水の話ですね。神は、天地を創造したのに、なぜノアのところでリセットボタンを押したのか。ようはちょっと失敗しちゃったからでしょう。神としては、ほんの少しはうまく行っているところもあるので——つまりノアのことですが——、全部は壊さず、その部分だけ避難させたうえで、世界をつくり直した。想定外の展開になったので、やり直しているわけです。

その他、「我々」がさまざまな不幸や苦難にあうということに関しても、不可解と言えます。こんな不幸な目にあうのは、神がいけないのではなく、「我々」が間違っているからなんだと解釈するとしても、それならばなぜ、そんな間違いを犯すような「我々」を神はつくったのだろうか、という疑問が出てきてしまう。この世界では、神の全知全能という仮定とは矛盾するような現象がいっぱい起きるような感じがするんですね。それを、信仰の立場に入った場合にどういうふうに受け入れることができたのか？　また、そういうことが、なぜ信仰を破壊することがなかったのか？

この点に関連して、あとひとつ付け加えておきたい疑問があります。これはもっと後のほうでまた話題にすると思うんですけれども、神がいったん決めたことを後で変えることができるか、という問いです。これも、非常によく出されてきた神学上のテーマです。この問題は、次のような状況において特に深刻なものとなります。

たとえば、ぼくがキリスト教世界を生きるクリスチャンだとして、かなり堕落した生活を送っていたとします。このままでは、当然、地獄行きでしょうし、神の予定としても、「地獄行き」のリストに入れられているでしょう。しかし、あるとき劇的なコンバージョン（回心）の体験があって、ぼくが悔い改めたとします。そして、信仰に篤い生活を送るようになる。この場合、かつて地獄行きのリストに入っていた大澤は、今では悔い改めたのだから、神の国のほうに行っていいのではないか。こういうふうに神は、決めていたことを変更することができるか、という問題です。

一方では、神は「全能」なのだから変更できるにきまっています。

しかし、他方で、「全知」の神ということを考えると、それはちょっとおかしい。神が、途中で「大澤、思ったよりよくなったじゃないか」と意見を変え、予定を変えるのは奇妙な話ですよね。神は全知なんですから、「予想より大澤がよくなった」なんてことはあるはずがない。もし、神にとって予想外のことが起きているなら、神は全知ではなくなってしまいます。つまり「全知全能」としばしば一セットで言われますが、全知と全能とは両立しないようにも感じられます。

たとえば日本の古事記に出てくる神様やギリシア神話の神様のように、はじめからそこまでの圧倒的な超越性は想定されていなくて、ちょっと特別な能力があるという程度だったら、失敗したり後悔したりするのは愛嬌の一部です。こういう神々がいる世界では、この世界にたくさん欠陥があったり、悪人がいたとしても、信仰にはそれほど大きな傷は入らないでしょう。しかし、一神教の世界では、やたらと悪があったり、たくさんの納得できない欠陥があったり、神さえもしくじっていたり、ということは、信仰にとって脅威ではないのでしょうか。

橋爪 世界が不完全であることは、信仰にとってプラスになる、と思います。

大澤 それはどういう論理ですか？

橋爪 まず、「神（God）が唯一で、全知全能」という一神教の考え方が、どういう考え方と対立しているか、考えてみましょう。

インドのヒンドゥー教、これは一神教じゃない。中国の儒教、これは一神教じゃない。日本の神道、これは一神教じゃない。ほかに、仏教も、一神教とは言えない。

仏教も、この世界を、完全に普遍的に合理的に理解しようという点では、一神教と似ています。儒教も、人間が生きているこの世界を、完全に普遍的に合理的に理解しようという点では、一神教と似ています。まあ、一神教ほど徹底していないかもしれないが。

では、一神教は、これらの宗教と、どこが根本的に違うのか。

まず、一神教は、この世界のすべての出来事の背後に、唯一の原因がある。それも、人間のように人格をもつ、究極の原因＝Ｇｏｄがある、と考える。背後に、責任者がいるんです。仏教、儒教、神道は、このように考えない。ここが違う。

もう少し言うなら、その責任者（Ｇｏｄですね）は、意思があり、感情があり、理性があり、記憶がある。そして大事なことですが、言葉を用いる。要するに、人間の精神活動と瓜二つなのです。実際、世界は言葉によってつくられた。「光あれ」と言うと、光があった。そして、意思して、イスラエルの民を選んだ。その民に、預言者を通して語りかける。言葉でなしに、大雨とか災害とか、イナゴの大群とか、自然現象を通じて働きかける場合もあるけれど、それもＧｏｄがひき起こしている。すべては、Ｇｏｄからのメッセージなんです。

多神教とどう違うか。多神教は、自然現象の背後に、神（責任者）を考えるところは似ている。けれども、それぞれの自然現象の背後に、それぞれ神がいると考える。太陽には太陽の神、月には月の神、星には星の神、山には山の神、川には川の神、海には海の神……がいる。するとどうなるか。自然は、神々のネットワークになるでしょう。ネットワークだから、どの神も究極の支配権を持てない。ほかの神に挨拶しないといけない。神にはなわばりがある。そこで、神々の関係は、人間社会とよく似たものになるのです。それぞれの神には出番はあるが、それ以外は引っ込んでいる。すると、そのなかの特定の神とつながりを持っても、利益は限定されます。たとえば、太陽の神と仲よくなったとしても、水の神とも仲よくしないと、豊作にならないかもしれない。いろんな神々と、バランスよく付き合わないといけなくなります。

大澤　多元外交みたいなものですね。

橋爪　神々は、それぞれ勝手なことを考えていますから、彼ら全員のまとまった意思などというものはない。これが、多神教。これでは、神との対話などできない相談だ。

つぎに、仏教の場合。仏教は言ってみれば、唯物論です。自然現象の背後に神などいない。すべては因果律によって起こっているだけ、と考える。人間も死んでしまえば分解して、アミノ酸になり、微生物に食われ、そうした生命の源となり、それがまた別の生命にかたちを変え、食物連鎖みたいな生命循環があって……。そこには、因果法則があるだけで、だれかの意思が働いているわけではない。それを言うなら、天体だって地球だって、気象だって生態系だって、すべて自然法則に支配されているにすぎない。そういう、自分たちを取り巻いているこの宇宙の法則を、どこまで徹底的に認識したかが勝負であって、それを徹底的に認識した人が、仏（ブッダ）と呼ばれるわけです。仏といえども、この宇宙を支配する法則を、一ミリでも変えることができるわけじゃない。そうした法則を、ありのままに徹底的に認識し、一切の誤解や思い違いがなく、自分と宇宙が完全な調和に到達した状態、それが理想なのですね。

法則には、人格性がありません。ブッダとは対話できても、法則とは対話ができない。法則は、言葉でできていない。言葉で表現するのが困難である。ここに、ブッダの悩みがあって、ブッダはせっかく究極の知識を手にしているのに、それを言葉にできない。ゴータマ・シッダルタが覚った真理を、言葉で伝えてつぎつぎブッダを量産する、というわけにはいかないのです。別な人間は、最初からもう一回始めるしかない。

儒教の場合はどうか。

儒教は、自然をコントロールすべきものと考えている。コントロールの手段は、政治です。政治は、大勢の人びとが協力することなので、人びとのなかのリーダーが、リーダーシップを発揮しないといけない。それには、政治的能力が必要になる。そうした能力を持っていそうな人をみつけ、訓練して、その能力を伸ばす。リーダーを訓練して、いい政治をさせる。これが儒教で、政治的リーダーを訓練するシステムなのです。その訓練のマニュアル（古典）があって、みんなそれを読んで勉強する。

儒教はこんな具合で、宇宙の背後に人格があるという考え方がない。人格を持っているのはリーダー（政治家）で、政治家のほかには、自然や宇宙があるだけ。神々もいたとしても、怪力乱神などといって、無視すべきものと考えている。

儒教も朱子学になると、リーダー（政治家）の背後に天がある、などと抽象的なことを言い出す。とは言え、天も、その元とされる理や気も、人格ではない。言葉でできているわけでもない。そうするとコミュニケーションは、政治的コミュニケーションに限定される。王や皇帝の命令とか、政府の行政指導とか。あとは、官僚たちが業務のあいまに、人間的な心情をうたってみたら、詩になったりとか。

ひるがえって一神教の場合、Ｇｏｄとの対話が成り立つのです。それは、Ｇｏｄが人格的な存在だから。「神様、世界はなぜこうなっているんですか」「神様、人間はなぜこんな苦しみにあうのですか」。そう訴えてもいいし、感謝でもよいので、Ｇｏｄへの語りかけを繰り返す。

この、Ｇｏｄとの不断のコミュニケーションを、祈りといいます。

この種の祈りは、一神教に特有のものなんですね。祈りを通して、ある種の解決が与えられると、赦しといって、Ｇｏｄと人間の調和した状態が実現する。赦しがえられるまでは、悩みや苦しみに圧倒され、Ｇｏｄのつくったこの世界を受け入れられない、理解できない、という状態が続く。

一神教は、すべてをＧｏｄが指揮監督していると信じるのですが、するとしばしば、理不尽な感情に襲われます。たとえば、なぜ私の家族や大事な人が重い病や事故にみまわれるのだろう。なぜ自分の努力が報われないのだろう。なぜ悪がはびこり、迫害が続くのだろう、というふうに。一神教でなければ、仏教や儒教や神道なら、運が悪いとか、悪い神様のせいだとか考えればすみます。一神教では、すべての出来事はＧｏｄの意思によって起こるので、そう考えてすますことができない。そこで、不断の対話を繰り返すことになる。

子どもが障害をもって生まれたり、重い病気にかかったりすると、親は悩むでしょう。悩み方のパターンはだいたい同じで、「なんでよりによって、私の子が……」。これはユダヤ教の、選民の考え方と同じで、どんな出来事も、Ｇｏｄの意思で起こっていると思うからそうなる。悩んで、いくら考えても、答えはえられない。何かの罪を犯した罰なのかと考えてみても、思い当たる原因はみつからないでしょう。

そうすると、残る考え方は、これは試練だ、ということ。このような困った出来事を与えて、私がどう考えどう行動するのか、Ｇｏｄが見ておられると考える。祈りは、ただの瞑想と違って、その本質は対話なのです。

付け加えると、祈りのあり方は、キリスト教とイスラム教ではちょっと違っている。キリスト教の祈りは、外から見えない。これみよがしに祈るな、とイエスが命じたから。いっぽう、イスラム教の祈りは、外から見える。仲間と一緒に祈ることで、ムスリムであることが自他ともに確認できる。

大澤　祈りの最後に「アーメン」という言葉をつける場合が多いですね。これはどういう意味ですか？

橋爪　これはもともとユダヤ教のもので、キリスト教、イスラム教にも伝わっているけれど、「その通り、異議なし」という意味です。新左翼が集会で「〜するゾー」「異議ナシッ！」とやっているけど、あれと同じです。

大澤　「アーメン」というのは、人の言うことを確認し、合意することで、いわば反復するような言葉なんですね。

10　ヨブの運命――信仰とは何か

橋爪　話を戻しましょう。理不尽な不幸に襲われたときに読む書物があって、『ヨブ記』です。『ヨブ記』は、さっきの『ヨナ書』と同じく旧約聖書の「諸書」のひとつです。

ヨブという人がいた。神を信じて正しく生きていた。ヨブは「義人」だったのです。それを見てヤハウェが満足していると、サタンがやって来て、こう言います。「ヨブがああなのは財産があるから。それに、子どもも立派だからです。それを奪ってごらんなさい。すぐに神を呪うに決まっています」。ヤハウェはそこで、財産を奪い、子どもも全員死なせてしまった。でもヨブはまだ神を信じていた。「神は、与え、神は、奪う。神が与えるものを感謝して受け取るべきなら、苦難も同様に受け入れよう」。そこで今度は、サタンの提案で、ヨブの健康を奪ってみた。ひどい皮膚病になり、身体を掻きむしって血だらけで、犬に傷口をなめられる。ゴミ溜めに寝ころがる、ホームレスになっちゃった。それでもヨブは、まだ神を信じていた。神とヨブの根比べです。

そこへヨブの友達が三人やってきて、いろいろ質問をする。「ヨブ、お前がこんなにひどい目にあうのは、何か原因があるにちがいない。おれたちに隠して罪を犯しただろう。

早く言え」。ヨブは反論して、「私は誓って、決して神に罪を犯していない。何も隠していない」。すると友達は「この期に及んでまだ罪を認めないのが、いちばんの罪だ」。話は平行線で、友達もなくしてしまった。

ヨブにとっていちばん辛いのは、神が黙っていることです。ヨブが神に語りかけても、答えてくれない。ヨブは言う、「神様、あなたは私に試練を与える権利があるのかもしれませんけれど、これはあんまりです。私はこんな目にあうような罪を、ひとつも犯していません」。するととうとう、ヤハウェが口を開く。「ヨブよ、お前はわたしに論争を吹っかける気か。なにさまのつもりだ？　わしはヤハウェだぞ。天地をつくったとき、お前はどこにいた？　天地をつくるのは、けっこう大変だったんだ。わしはリヴァイアサンを鉤で引っかけて、やっつけたんだぞ。ビヒモス（ベヘモット）も退治した。そんな怪獣をお前は相手にできるか？」みたいなことをべらべらしゃべって、今度はヨブが黙ってしまうんです。

さて、最後にヤハウェは、ヨブをほめ、三人の友達を非難する。そして、ヨブの健康を回復してやり、死んだ子どもの代わりに、また息子や娘をさずけた。娘たちは美人で評判で、ヨブはうんと長生きをした。財産も前より増えた。めでたしめでたしです。ヤハウェも、ちょっとやりすぎたかなと反省した。

『ヨブ記』を読むと、自分はまだましかも、と思えてくる。逆に言うと、ヨブみたいに苦しんで、神と対話を繰り返す人びとがそれだけ大勢いる。そういう対話が可能であることが、信仰なんです。

一神教には、この考え方しかない。つまり、試練です。試練は、原因がないのに悪い出来事が起こること。ここで神を呪えば、ほんとうの罪になってしまうのです。

もうひとつ大事なことは、サタンが登場する点です。

サタンは「反対者」「妨害者」という意味で、神への信仰を検証する存在です。『ヨブ記』のサタンは、天界にも自由に出入りし、神の代理で地上を査察して回る係のこと。中世キリスト教でおどろおどろしく描かれたみたいな、悪魔ではない。

神への信仰は、ささいなことですぐ妨害されてしまいます。自分が友人に対してサタンになったり、友人や家族が自分に対してサタンになったりする。「悪魔」として実在しているわけではなく、役割にすぎない。

全部答えたかどうかわからないけれど……大澤さんの質問は、反対者サタンが、なぜ神への信仰を促進することになるのか、でしたね？

大澤　はい。ちょうどこのタイミングで『ヨブ記』のことをうかがおうと思っていました。

『ヨブ記』というのは旧約聖書のなかでも最も文学的に読めるテキストなので、いろんな人がこれまでも論じてきたし、最近でもいろんな人が議論しています。

いま紹介いただいたように、次々と不幸に襲われたヨブのもとに、友人たちがやって来る。この友人たちとヨブとの対話がある種の読みどころで、一種の神学論争みたいなことをやるんですよね。

友人たちが言っていることは、もちろん斥けられるべきものとして書かれているわけですが、同時に、わざわざ引き合いに出されているということは、当時の人びとの最も常識的な見解を代表していたと思います。彼らの見解は、簡単に言うと、ヨブがひどい目にあっているのは、何か罪を犯したから、ということ。まあ因果応報みたいなものですよね。友人たちは、きっとお前は罪を犯しているはずだ、とヨブに迫ってくる。

ヨブはものすごく意志の強い男で、自分は断じてこんな不幸に見合うような罪を犯してはいない、と主張する。まわりからいくら責められても、彼は、自分の身に覚えのない罪を認めたりはしない。

このようなヨブと友人たちとの対決は、当時のユダヤ人にとって、特に間違ったことをやっていない人びとを襲う不幸や苦難を、一神教の文脈でどう解釈すればよいか、ということが重要な実存的な問いだったことを示しています。

このテキストのすごいところは、最後に、本当に神様が出てきちゃうところです。この部分での神の態度、神の言っていることに関して、ぼくは昔から非常に疑問に思っていることがあります。

最初は友人たちが来て、中途半端な、安易な答えを出そうとする。何に対する答えかというと、「なぜヨブはこんな不幸にあわなければならないのか」という問いへの答えです。そして、いよいよ、神がやってきた。その神に何を期待するか。言うまでもありませんね。正解です。神がやってきたんだから、神は、ちゃんとした答えを出してくれるのではないか。ヨブも、読者もそう期待する。

ところが、です。この神は、まったく答えなんて言わないんです。しかも、沈黙しているならばともかく、すごい饒舌なんですね。求めている答えとは全然関係ないことを、延々としゃべりつづける(笑)。ここで神が言っていることは、ぼくに言わせれば、一種の自慢話です。「俺ってこんなにすごいんだぞ。文句言うなよ」みたいな感じですよね。ぼくがヨブの立場だったら唖然としたと思います。

ぼくはここに、神とのコミュニケーションとは一種のディスコミュニケーションである、神とのコミュニケーションはコミュニケーションの不可能性そのものであるという逆説の究極の姿を見たくなります。神はヨブに真には答えないことによって答えているわけですから。いずれにせよ、一神教の人格神は、神との不断のコミュニケーションを誘発するところが、大事なのでしょう。

ちなみに、『ヨブ記』の一番最初の設定になっている「サタンと一緒にヨブの信仰を試してみる」というのは、物語をつくるための理由づけなので、『ヨブ記』というテキストにとっての本来の意味としてはどちらでもよいような気がします。とにかく、人には、ヨブの身に生じたような、理不尽なことが起こることがある。

それから、『ヨブ記』では、最後には、ヨブは幸福になる――病気も治るし、家族や財産も回復するわけですが、しかし、これも、ほんとうは一種の蛇足ですね。つまり、このテキストを、「どんな不幸が起きても最後には神様は助けてくれる」と読んではいけないわけです。きっと、そのままヨブを不幸のどん底に落としたままでは、あまりにも人びとを不安にさせてしまうので、木に竹を接ぐような、突然のハッピーエンドを付け加えたのでしょう。少なくとも、ヨブは、後で神がハッピーエンドを用意してくれるだろうということを期待して、信仰を維持したわけではない。だから、ほんとうに過酷な話です。

これは非常に奇妙なテキストだなとぼくは若い頃からずっと思っていました。神は、いろいろ自慢話をしたあと、一応、ヨブに「よくやった」というようなことを言ってほめて、それに比べて「お前の友人たちはダメだ」と、友人たちを正式に斥ける。でも、友人たちは神様に対してけっこう好意的なことを言っているわけですよ。「お前（ヨブ）が、理由もなくひどい目にあうはずはない。神はそんなひどいことはなさらない。だから、お前は、きっと気がつかないところで悪いことをしたに違いない。神はそれに対する罰として、ちゃんと理由があってひどい目にあわせているんだよ」と。友人たちは自分なりに信仰の立場で言っている。ある意味で神を擁護している。しかし、神に言わせればそんなものは信仰としてダメだ、ヨブのほうがよっぽど偉いんだという話になる。こうやって、神は、友人たちの、一見「模範解答」みたいな答えに、不合格点を付ける。そのくせ、先ほどから言っているように、神は「正解」を示しはしない。

橋爪 ぼくがもしヨブの立場だったら、もう神に皮肉を言いたくなりますね。「へえ、神様すごいね〜。そんなに何でもできるんだったら、どうして俺を救ってくれなかったの？」と。はたして人は、これを読んで本当に慰めになるのかどうか。

大澤 ヨブの運命は、ユダヤ民族の運命そのものなんですよ。

橋爪 そうなんですよね。

大澤 『ヨブ記』が否定されてしまえば、ユダヤ教は否定されるし、一神教は成り立たない。これは、とても大事な点です。

なぜそうなるのか。

議論の構造を整理してみると、ヨブは、幸運なときと不運なときがある。ヨブは世界を合理的に理解したいと思っている。ヨブはヤハウェと対話しているけれど、それ以外にほかの神がいるとか、オカルトやマジックみたいなものがあるとか信じていません。この世界とヤハウェと私、これだけでもって、すべてを解釈しようとしています。

さて、一神教の立場に立とうとすると、大澤さんが先ほど言われたように、神は世界を創造した全知全能の存在なのに、なぜこの世界を完璧につくらなかったんだろう、という問題があります。たとえば、なぜ飢えがあるんだろう？　なぜ食料はいつも不足し、資源は不足し、人は貧しさから自由でないのだろう？　貧困や欠乏とたたかうため、人間は労働し続けているわけですよ。また、人間のあいだには争いが絶えず、人間は苦しんだり殺し合ったりしている。つまり、世界は端的に言って、不完全です。完全な神が、なんで不完全な世界をつくったのか。いじわるじゃないか。

このことに、一応の説明はあるんです。『創世記』をみると、神は人間をつくったとき、最初は人間に理想的な環境を提供しようと、エデンの園という楽園に置いた。エデンの園には食べ物が十分にあって、働かなくていい。でも、知恵の樹と生命の樹というのがあって、この二つの樹の実を食べてはいけないよ、それ以外の実は食べてもいいけど、と言い置いて、神様は出て行ってしまうわけです。アダムとイブは、つくられたばかりで、勝手がよくわからないわけですが、とにかく神にそう言われた。これが、神の命令で、律法、すなわち契約です。
で、神の留守に、蛇が出てくる。蛇はサタン。反対者ですね。イブに「知恵の実を食べてみないか、きっとおいしいよ」とそそのかす。イブが知恵の実を見ると、おいしそうに見えた。イブは手をのばしてその実を食べ、アダムにも渡して食べるように言った。アダムも食べた。すると夕方、ざわざわと音がして神様が帰ってきた。知恵の実を食べた二人は裸なので恥ずかしくなって、茂みの中に隠れた。それを見とがめて、神様が質問する。「なぜ隠れている、アダム。知恵の実を食べたのか?」アダムは、「イブが食べろと言うので、私も食べました」。神様が、「イブ、そうなのか?」と聞くと、イブは「蛇がそそのかしたので食べました」と答える。
さて、人間には質問しますが、蛇には「蛇、そうなのか?」とは質問しません。

大澤　言われてみればそうですね。

橋爪　蛇には質問抜きで、すぐ処罰します。「お前は手足をなくし、地面をはいずり回り、土を食べるように」。アダムとイブは、神様の命令を聞かなかった罪と、その罪を素直に認めなかった罪により、罰として楽園を追放される。そこで、額に汗して働かなければ、その日の糧がえられなくなった。人間は死ぬことになったので、女性は子どもを産むことになった。蛇と憎しみあうことにもなった。

でも神様は、二人が楽園を出ていくときに、イチジクの葉っぱでは困るだろうと、革で服をつくって着せてやったのです。楽園の外では、苦しい生活をするだろうからと、配慮している。

というふうに、この世界が不完全なのは、楽園ではないから。そして、人間に与えられた罰だから、なのです。そういう不完全な世界を、神様の意思に反しないように、正しく生きていくのが、人間のつとめです。これが『創世記』の説明。世界が不完全なのは神の本意では必ずしもなく、その点を神は気づかっている。それは、神に背いた人間のせいでもあるのです。

ここから先は、少し神学と言うか、哲学っぽい話になるかもしれない。

実は、ここまでの話は逆に考えることができる。人間は、現状よりもよい状態を頭に思い描く、想像力をもっている。それを実現したい欲望もふくらんでいる。自分の生活に必要なものを、獲得する能力も高くなっている。こんな能力があるせいで、ほかの人間から労働の成果を奪ったりもする。農業や遊牧にはそれなりの生活様式があるから、互いに矛盾・対立して、紛争になる場合がある。殺し合いになるかもしれない。そうすると、安全保障（セキュリティ）が大事になる。誰と誰が結婚してグループをつくるかとか、誰と誰が仲よくして同盟をつくるかとか。こうしたさまざまな不幸の可能性とともに、人間の生存の条件が与えられている。

一神教だろうと多神教だろうと、人間に与えられた能力によって、人間が置かれた条件によって、人間の生存が脅かされているというところは同じです。それを、神に投影しているると考えられる。

一神教は、どう投影するか。どの現象の背後にもそれぞれ神々がいて、その恩恵がないと生きていけない、とは考えない。この世界に神などいなくて、すべては法則と宿命によって決まっている、とも考えない。人間のあいだの争いや政治経済を巧みに調整してくれる政治家がいて、彼の政治的リーダーシップによって自分たちの問題が解決する、とも考えない。そうではなくて、すべてこの世界は有限で罪深くて不完全な人間の営みなのだけれど、その背後に、完全な能力と意思と知識をもったＧｏｄという人格がいて、その導きによって生きている、と考えるわけです。

そこで人間は、「神様、この世界はなぜこんなに不完全なんですか」と、Ｇｏｄにいつも語りかけ、対話をしながら日々を送ることになる。対話をやめてはいけないんです、この世界が完全だろうと不完全だろうと。むしろ、この世界が自分にとって厳しく不合理にみえるときほど、対話は重要になる。

これが、試練ということの意味です。試練とは現在を、将来の理想的な状態への過渡的なプロセスだと受け止め、言葉で認識し、理性で理解し、それを引き受けて生きるということなんです。信仰は、そういう態度を意味する。

信仰は、不合理なことを、あくまで合理的に、つまりGodとの関係によって、解釈していくという決意です。自分に都合がいいから神を信じるのではない。自分に都合の悪い出来事もいろいろ起こるけれども、それを合理的に解釈していくと決意する。こういうものなんですね。いわゆる「ご利益」では全然ない。

大澤　超越的な神、人格神をおくことによって、言葉と理性がどういう形で担保されてきたか、というお話、非常に興味深く聞かせていただきました。すこしコメントを付けさせてください。

今、この世界が不完全で、不幸や悪がある、ということを説明するための根拠として、『創世記』の楽園追放の話が出てきました。楽園追放は『創世記』のなかでもおそらく日本人が最もよく知っている話のひとつだと思います。しかし、ぼくは、この話に関しても、それこそ子どもの頃から腑に落ちないものを感じているのです。

ぼくは、この話を聞くと「オトリ捜査」を思い出します。オトリ捜査というのは、犯罪者をあぶり出すとき、わざと犯罪をしたくなるような誘惑的な状況をつくって、犯罪者に犯罪をさせて、逮捕してしまう、という手法ですね。エデンの園で神様がやっていることは、何となくこれに似ている感じがします。

神は、エデンに、知恵の樹と生命の樹という、食べてはいけない実のなる樹をつくった。しかし、「食べてはならぬ」というのなら、神は、どうしてそんな樹をつくったのか。だいたい、理由も言わずにただ「食べてはいけない」なんて言われたら、食べたくなりますよね。神は、わざと、人間が罪を犯したくなるような状況をつくっておいて、人間を罪へと誘導しておきながら、人間に厳罰を科している。

そもそも、どうしてエデンの園に禁断の樹の実がつくられたのか。これは、不可解で、解けない神学上の疑問ではないか、と思います。結果的には、最初の人間がそれを食べてしまったので、その後に現れる、世界の不幸や悪を説明する便利な根拠になるわけです。しかし、この楽園での罪というのは、他のすべての合理性を担保する例外的な不合理になっていると思います。

ついでに言っておくと、橋爪さんはいま、悪とか不完全性がある世界に対して、一神教がどういうふうに考えるかということについて、あるいは、そうした事実が、どんなインパクトをヘブライズムの伝統に残したかということについて、非常に明快な説明をしてくださいました。しかし、それでもおそらく、ユダヤ教徒やキリスト教徒にとっても、やっぱり神が創造した世界の中にあるさまざまな不完全性や悪について納得がいかないなあという気持ちはあったんだと思うんですよね。繰り返しになりますが、『ヨブ記』でもそうですけど、間違っているとして神から斥けられるヨブの友人たちの考えのほうが、実際に当時のユダヤ人の主流派の考え方に近かったでしょう。

たとえば、キリスト教の異端と言ってよいと思うのですが、グノーシスというのがあります。厳密には、グノーシス主義は、キリスト教とは独立に、一世紀頃、発生するのですが、やがてキリスト教と融合する。しかし、キリスト教の本流からは完全に異端と見なされる。グノーシスの特徴は、善と悪との完全な二元論です。世界を善と悪との葛藤のように見る。したがって、光を代表する善なる神と、闇を代表する偽物の神がいる。どうして、こんなふうに二元化するかというと、やはり、この世界の不完全性という問題と関係していると思うのです。この世界は、どう見ても不完全である。こんな変な世界をつくったのは、悪い神に違いない。ということは、本物の善い神は、悪い神とは別にいる。こういう論理の筋があると思います。

グノーシス主義は、神が二重になってしまうのですから、一神教からはどう見たって異端ですが、こういう理論が、相当な説得力をもって浸透したという事実は、やはり、神が、悪や不完全性がはびこるこの世界を創造したと考えることに、いかに抵抗感があったかを示しているように思います。なにしろ、ヨブのような義人が、非常に不幸な目にあったりしているのですからね。

11　なぜ偶像を崇拝してはいけないのか

大澤　さて、ここでちょっと戻ってお聞きしたいことがあります。偶像崇拝の禁止についてです。先ほどヴェーバーの説もありましたが、おそらく日本人にとって、これもいまひとつピンとこないことだと思います。なぜそこまで偶像崇拝が厳しく禁止されるのか。

まあ、偶像というのは間違った神様ということですから、もちろん崇拝してはいけないわけですが、ならば偶像とは何か、と考えてみると、たいていのものは偶像です。目に見えるもの、さらに一般に感覚や知覚で捉えられるものは、みな偶像です。だから、石像のようなものをあがめても、誰か人間を崇拝しても、すべて偶像崇拝ということになります。神は、結局、「これだぞ」とか「ここにいるぞ」とか示すことはできない。だから、預言者が間に入ってくれないと、神と関係することができないわけです。

ところで、神とは何か、と考えてみます。すると、神は、存在するものの中で最も存在するものと言いますか、最も強い存在ですよね。たとえば「ヤハウェ」という名も——それが意味するものについては多様な解釈がありますが——、一つの有力な説によれば、「存在するもの」というような意味になるわけです。要するに、神とは、存在の中の存在というか、最も強烈に存在するもの、普通の存在者を超えて存在するものです。

では存在って何だろうか。ちょっと哲学的に考えてみましょう。ぼくらが何かが存在すると言えるのは、どういうときでしょうか。たとえば今ここにコーヒーカップが存在すると思う。それは見ることもできるし、触ることもできるからですよね。あるいは、橋爪さん自身は存在する。話もできるし、触れることもできる、握手もできる。でも、じゃあ鏡に映っている橋爪さんは存在するんだろうか。これはちょっと微妙になってきます。見えることは見えるけれども、握手したり触ったりはできないから、少なくとも現物の橋爪さんよりはやや存在の濃度は下がる感じになります。では、夢の中の橋爪さんはどうだろうか。それは、かなり存在としては希薄になる。それは、ぼくにとってしか存在しないし、夢から覚めたらぼくにとってさえも存在しない。

このように、存在に関しては、まさにそれを存在として認めうる濃度のようなものがあります。存在と不在の単純な二項対立ではなくて、強い存在から不在までの間にはレベルの差がある。単純に「実在しないもの」と言われるものの中でも、「ユニコーン」のように少なくとも想像できるものと、「丸い三角形」のように論理的にも矛盾しているものでは、存在のレベルが違います。

このように考えたとき、偶像崇拝の厳禁とともにある神というのは、ようはどんな方法によってもその存在を確認できない神、ということになります。たとえば、橋爪さんという人の存在については、「俺は橋爪さんに会ったことがある」と言えばすみます。そしてもし、誰も橋爪さんという人を見たことがなければ、橋爪さんの存在（実在）そのものが疑われてしまうわけです。ところが神については、逆で、「俺は神を見た」と言ってしまえば、それはほんものの神ではなくて、偶像になってしまいます。神に関しては、その存在を確認するうえでのあらゆる方法が禁じられている。預言者でさえも、たとえばモーセでさえも神をまともに見ていない。そうすると、ふつうの意味では存在から最も遠く隔たっているものが最も存在している、という逆説になってしまうのです。偶像崇拝を厳しく禁止するということは、こういう逆説を受け入れるということです。

逆に言うと、他の宗教が、ユダヤ教から見ると偶像崇拝のようなことをやるのは、本来であったら存在しているとは実感できない神に関して、人びとに、何とか、それが存在していると思わせなくてはならないからではないでしょうか。たとえば、像を彫ったりして、神というのはこんなようなものだ、と見せたり、あるいは、何かの物体や祠や樹やらを指して、神はここに宿っている、と言ってみたりする。

もう一度繰り返すと、偶像崇拝の禁止というのは、存在の否定が存在の極大値だよ、という感受性に規定されている。これは、やはり非常に理解し難い。いかがですか？

橋爪　ずばりと本質を突く素晴らしい質問ですね。まさに一神教を理解する急所です。

さて、二つぐらいのことを答えたい。

まず、一神教はそんなに特別じゃない。特別だけど特別じゃない、ということを議論の前提として言いたいです。

一神教 monotheism は、多神教 polytheism と対立してる、とふつう言われる。でも、よく考えてみると、もう少し違ったところに対立軸がある。一神教（ユダヤ教、キリスト教、イスラム教）のほかに、古代にはいろんな宗教がほぼ同時に興っているでしょう。インドでは、仏教。中国では、儒教。これらが典型的ですが、共通点があって、それまでの伝統社会の、多神教と対立しているんです。

伝統社会の多神教は、まあ日本の神道みたいなもので、大規模農業が発展する以前の、わりに小規模な農業社会か、狩猟採集社会のもの。素朴で、自然とバランスをとっている人びとの信仰なんです。山林原野もあって、その土地に育った人びとが大部分で、よそから移ってきた異民族はあまりいない。だから、自然と人間は調和し、自然の背後にいるさまざまな神を拝んでいればすむ。

日本は、先進国としてはめずらしく、こんな信仰が現在まで続いているんですけど、これほど幸運な場所は、世界的にみても、そう多くない。

それ以外のたいていの場所ではどうなるかというと、異民族の侵入や戦争や、帝国の成立といった大きな変化が起こって、社会が壊れてしまう。自然が壊れてしまう。もとの社会がぐちゃぐちゃになる。ぐちゃぐちゃになってどうするか、というのが、ユダヤ教とかキリスト教とか、仏教とか、儒教といった、いわゆる「宗教」が登場してくる社会背景なのです。そういう問題設定が、まず、日本にはない。だから、そうした宗教のことがわからない。

で、ぐちゃぐちゃになっても、人間が人間らしく連帯して生きていくにはどうしたらいいかの戦略なんですけれど、一神教と仏教と儒教には、共通点がある。それは、もう手近な神々に頼らないという点。神々を否定している点です。

まず、仏教をみてみると、仏教は、インドの神々がたくさんいるインド社会のど真ん中で生まれた。それにしては、神々に関心がないでしょう。たしかに仏教の経典には、インドの神々が出てきます。梵天とか帝釈天とか毘沙門天とか、「〇〇天」というのがインドの神々。ぜんぜん主役でなく、脇役にされてしまっている。その役目はもっぱら、ブッダが偉大であると讃美すること。ブッダの応援団です。

神々よりずっと偉大な、ブッダという存在がいる。なぜ偉大かというと、真理を覚ったから。人間がその能力を最大限に発揮して、この宇宙の真理を究めたから。神は覚っていないから、価値は低い。「覚り」は、人間が宇宙をどう理解するかという問題であって、神々の出番はないんです。仏教は、自然を、物理的因果関係のかたまりとみて、その法則性を認識しようとする。神秘はどこにもない。宇宙、生態系、自然。そういう自然界の真理に、もろに人間の知性が接触しているんですね。とても、合理的なんです。

儒教はどうか。儒教は、政治家のリーダーシップを重視します。政治家が、自然の管理や社会インフラの整備を行ない、人びとの幸せに責任を持つ。この考え方は政治学・経済学そのものですから、結果を合理的に予想できるもので、神秘的なところは少しもない。雨乞いとか占いとか、あんまり関係ない。まあ最初は、「まつりごと」というぐらいで、祭政一致で、占いの要素もあったけれども、だんだん少なくなった。どんどん脱魔術化されて、政治技術がマニュアルに還元され、神秘的な要素は儒学から放逐されていく。神々はいなくなって、天だけが残った。天は人格を持たない。悪さをしないし、魔術とも関係がない。

一神教もほぼ同じです。一神教は、神々との闘争の歴史で、そうした神々は神でない、全部ウソだというのです。いっぽう一神教の神ヤハウェはどこにいるかというと、この宇宙の外側にいて、ありありと存在している。こういうものなんですよ。神々は、もし存在しているとすれば、この世界の中に存在している。すべて存在しているものは、ヤハウェがつくった。さもなければ、人間がつくった。ヤハウェは神々をつくるはずがありませんから、神々は人間がつくったものです。ゆえに、偶像です。人がつくったものを、人が拝むことを、偶像崇拝という。これは、大きな罪になる。ヤハウェに背き、自分を拝んでいるのと同じだからです。

神々を否定し、放逐してしまうという点で、一神教と、仏教、儒教はよく似ている。そして、日本と正反対なんです。この根本を、日本人はよく理解する必要がある。神道は多神教で、多神教は世界にいっぱいあるじゃないか、なんて思わないほうがいい。

神々は放逐された。だから、仏教、儒教、一神教がある。世界の標準はこっちです。世界は一度壊れた。そして、再建された。再建したのは、宗教です。それが文明をつくり、いまの世界をつくった。こう考えてください。

偶像崇拝がなぜいけないか。大事な点なので、もう一回確認しておきます。偶像崇拝がいけないのは、偶像だからではない。偶像をつくったのが人間だからです。人間が自分自身をあがめているというところが、偶像崇拝の最もいけない点です。

余談ですが、偶像崇拝がいけないという論理が、マルクス主義にもあるでしょう？　資本主義がいけないのは、疎外↓物象化↓物神化というプロセスによって、人間の労働がほんとうの価値の実体なのに、それが商品になり貨幣になり資本になり、物神崇拝されるに至って、自分がつくりだしたものをそれと知らずにあがめている転倒した世界だからです。この論理は、ユダヤ教、キリスト教の発想とそっくりだ。

マルクス主義の資本主義批判を参考にすると、一神教の偶像崇拝批判がよくわかる。偶像崇拝がいけないのは、Ｇｏｄではないものを崇拝しているからです。それは人間の業《わざ》なんです。人間をあがめてもいけないし、人間がこしらえた偶像を崇拝してもいけない。

12　神の姿かたちは人間に似ているか

大澤　聞けば聞くほどおもしろいんですけど、余計にいろいろ聞きたくなってしまいます。『創世記』には、神は自分の似姿で人間をつくった、とありますよね。これはどういうことでしょう?

これまで何度もお話にあったように、一神教を理解するには、神がいかに人間を絶しているか、人間をはじめとする被造物の世界から隔絶したところにいるか、ということを押さえることが重要です。神は、この世界の外部にいて人間とは連続していない。だから、当然、一神教の観点では、人間をあがめてはいけない。たとえば、ぼくが橋爪さんを尊敬するあまり、橋爪さんは神様だ、と言ったら偶像崇拝になっちゃう。つまり、神というのは、「人間のようなもの」ではないのです。

いま、仏教やヒンドゥー教の話が出てきました。仏教やヒンドゥー教の神々なんていうのは、ある意味でユダヤ教の神様よりは格下で、意味が薄いんです。つまり、ヒンドゥー教の神々は、ヤハウェに比べれば、圧倒的に人間に近い存在です。しかし、そんな神々でさえも、まるで怪物のように描かれるわけですよ。たとえば、手が千本あったり、目がたくさんあったり、異様な形相をしていたりする。それは、神々が、人間とは相当に異なっていて、ものすごいということを表現するためですよね。無論、こんなものは、ユダヤ教の観点からすると、偶像の最たるもの、ということになるでしょう。しかし、そんな神々でさえも、人間との違いを強調するように造形されている。

ところが、一神教においては、超越的な人格神が、人間から隔絶しているということがより一層重要であるにもかかわらず、いきなり『創世記』で、神は人間に似ています、と書かれているのです。ヒンドゥー教の神々でさえも、人間といかに異なっているかが強調されているのに、ユダヤ教では、神の姿と人間の姿は類似していることになっている。……だいたい似姿って、神に姿があるのか？　という疑問も出てきます。偶像崇拝が不可能なのは、神に姿などないからではないか。ちょっと細かい疑問なんですけどね。どうですか？

橋爪　私なりに答えられると思うけど、面白い質問です。ヤハウェに姿かたちがあるかどうかという疑問と、なぜ似姿と書いてあるのかという疑問と、ふたつですね？

大澤　その通りです。

橋爪　まず、ヤハウェに姿かたちがあるかどうか。

初めは、かたちがなかったと思う。それは、火山をイメージした戦争神だったから。

姿かたちがない、という考えは、かなり後まで維持されていて、『士師《しし》記』になんて書いてあるかというと……。

大澤　士師というのはわかりやすく言うと何ですか？

橋爪　英語で言うと「judge」で、裁判官のこと。でもその役目は、カリスマ的・軍事的リーダーですね。王制になるまでの時期、臨時に民衆を指揮した。ヴェーバーのいう「カリスマ」の原型なんです。

ユダヤ民族ははじめ、部族社会で、族長がいて、何でも決めていた。でも、族長は戦争がうまいとは限らない。それに、部族ごとに族長がいて、話がまとまらない。そこで、ペリシテ人と戦争しなければならないなんていう場合に、族長でない有能そうな人物が一時的に出てきて、「この指とまれ」みたいに、軍事指揮官になったんです。でも常備軍じゃないから、戦争がすむと解散してしまう。そういう人なんですね。そういう人は、ふだんは裁判をやっていたらしい。それで「judge」（訳せば、士師）というんです。

　さて、そうやって戦争しても、どうも旗色がわるい。相手の軍隊は、戦場に彼らの神様の像を持ち出して、「神様が戦場に現れた」と、勇気百倍で戦っている。ユダヤ民族としても対抗して何か持ち出したいんですけど、あいにくヤハウェは姿かたちがない。偶像をつくることもできない。それで、箱を担ぎ出した。偉い王様が乗る輿《こし》のようなもので、そこに目にみえないヤハウェが乗っているんだということにした。ヤハウェの椅子を、戦場に持っていったのです。ヤハウェは、ケルビム（スフィンクスみたいな生き物で、翼が生えている）に乗ることになっていたので、椅子にはケルビムの模様がついていたかもしれない。でも戦争に負けて、この箱をペリシテ人に奪われてしまった。こういう不名誉な出来事が旧約聖書に書いてあるのは、それが歴史的事実だった可能性が高いのです。奪われた箱は、結局返してもらった。ペリシテ人にヤハウェの祟りがあって、そんな箱は返してしまえ、ということになったのだそうです。

　箱をアークといいます。映画「インディ・ジョーンズ　失われたアーク」の、アークですね。ちなみに、ノアの箱舟の「箱舟」も、英語はアークです。四角くて、ヤハウェに関係のある木の箱を、アークという。この箱は、最初シロという場所（エルサレムの神殿ができる前に、ヤハウェ信仰の中心地だった）の聖所に置かれていたというが、そこから戦場に持っていき、ペリシテ人に奪われて返ってきたあとはキルヤト・エアリムという場所に置かれ、そのあとエルサレムのヤハウェ神殿に安置された。

そのうちこの箱は、ヤハウェの乗り物ではなくて、モーセの契約の石板を納めた「契約の箱」だと考えられるようになった。

箱には、金属の輪が四隅について、棒を通して担げるようになっている。その構造の詳しい説明が、旧約聖書の『出エジプト記』に載っています。もともとこれは、この箱を戦場に担いでいくためのものだったと思うが、旧約聖書は、それをモーセの契約と結びつけた。エジプトを脱出したユダヤ民族が、モーセに率いられてシナイ半島を放浪していたときに、モーセが山に登って、ヤハウェから契約の石板を受け取った。そこには、十戒が刻んであった。そこで箱をつくって石板を入れ、それを担いで約束の地をめざした、というのが旧約聖書の語るところです。

以上をまとめると、ヤハウェにかたちがあるという考え方は、なかった。

さて、バビロンに捕囚されているうちに、洪水伝説とか、バベルの塔とか天地創造神話とか、メソポタミアの伝承にふれた。ユダヤの人びとが、『創世記』以下、旧約聖書の中核部分を編集したのは、バビロン捕囚の前後のことだと考えられます。そこではヤハウェは、戦争神から格上げされ、天地を創造した全知全能の神ということになった。天地創造は、神がどうやって世界をつくったか、どうやって人間と暮らし始めたか、という物語を含む。いま私たちが読むことのできる『創世記』は、そうやって編集されたものです。

『創世記』の中身をおさらいしてみると、まずヤハウェが世界を、六日間でつくった。最後に、人間をつくった。しかも人間を「神の姿に似せて」つくった。それなら、神に姿があったことになります。つくった人間を、楽園（エデンの園）に置いた。大事にしていたんですね。そして、人間の目の前を、ヤハウェが歩き回っている。それなら、だいたい人間と同じ大きさだったことになります。という具合に、神と人間は、外見も行動も、よく似ているんだなあというのが、『創世記』を読んで受ける印象です。

神がもともと姿もなく、世界の外にあって、世界を創造した絶対の存在であることと、人間に姿が似ていて、エデンの園を歩き回ったりしていることとは、矛盾しないか。

これを矛盾なく受け取るにはどうしたらいいか。私の提案ですが、人間は神に似ているが、神は人間に似ていない、と考えればいい。言ってること、わかります？ たとえば神を、四次元の怪物みたいなものと考えるのです。それを三次元に射影すると、人間みたいなかたちになる。人間が神を見ると三次元だから、自分とおんなじだと思うかもしれないが、神の存在そのものは、人間より次元が高いから、目がいくつもあって、ヒンドゥー教の神みたいな怪物のかたちでもおかしくない。どう？

大澤　なるほど、おもしろい解釈ですね。

読者のために補足しておくと、『創世記』には、神が人間をつくった話がほんとうは二回出てきます。第1章には、神が自分のかたちに似せて人間をつくったと書かれていて、第2章には、人間は「土の塵」からつくられたとある。現在では、この二つは、異なる資料に由来する話を合体した結果であることがわかっていて、前者のほうがずっと後の資料に基づくようです。

実は、今の質問は、第2部のための伏線という意味あいもこめて提起しました。第2部では、キリストについてうかがうつもりです。イエス・キリストこそ、「ふしぎなキリスト教」のふしぎさの塊のようなものです。一方では、キリスト教は、一神教の伝統の中にあって、神の人間（被造物）に対する超越性や隔絶性を強調します。しかし、他方で、キリスト教では、神といいますか神の子が、まさに人間（イエス・キリスト）として出てきてしまう。もう、神と人間の姿が似ているどころではありません。神の子キリストは、神と人間のまったき二重性です。神が人間として出現してしまうのですから。この世界を創造し、人間を遥かに超える神が、その姿において人間に似ている、という『創世記』の記述は、イエス・キリストのかすかな予兆と見なせなくもない。さらに、神が人間を超えてはいるけれども、仏教の「法（ダルマ）」のように抽象的なものではなくて、人格神であるということも、同様に予兆として解釈できるかもしれません。いずれにせよ、この問題は、第2部にとっておきたいと思います。

13　権力との独特の距離感

大澤　先ほど整理してくださったように、仏教も儒教もそしてユダヤ教も、多神教の克服という点では共通しています。多神教の克服というのは、ヴェーバー風に言えば「Entzauberung エントツァンベルング（脱呪術化、呪術からの解放）」ということになるでしょうか。多神教は、一種の呪術です。ぼくの解釈では、呪術というのは、一種の矛盾というかパラドクスがあって、脱呪術化というのは、その矛盾やパラドクスを克服することです。

呪術にある矛盾というのは、ヴェーバーの「神強制」と「神奉仕」という二項対立を使うとわかりやすく説明できます。呪術は神強制の側です。呪術では、超自然的なもの、つまり風の神とか樹の精霊とかいったものが、病気を治してくれたり、雨や食糧といった恵みをもたらしたりしてくれるわけですが、そうした結果を得るために、人間の側が、何か捧げものをしたり、儀式をしたり、いろいろな仕方で、その超自然的なものに働きかけるわけです。つまり、超自然的なものは、人間に使役され、強制されて、その力を発揮する。そうすると、人間とその超自然的なもの（神々）とどっちが偉いのか、わからなくなります。その超自然的なものが人間以上の力を発揮するように、人間の側が誘導しているからです。神々は、一方では、人間を超えているかのように言われながら、他方では、人間の道具に過ぎない。先ほど橋爪さんは、一神教と多神教を比較しながら、後者は人間中心の視点を脱しないとおっしゃいましたが、これは、それと同じです。

仏教にせよ、儒教にせよ、そしてユダヤ教にせよ、この呪術あるいは多神教の矛盾の乗り越えという意味をもっていると思います。いずれの宗教も、呪術にくっついて離れない、人間と超自然的なものとの間の循環関係を断ち切っている。教義に内在すれば、こういうことになりますが、しかし、呪術や多神教の克服には、社会学的な意味もある。これも、すでに橋爪さんから説明がありました。

あらためて確認しておけば、血縁的であったり、地縁的であったりする、小さくシンプルな原初的な共同体が、自然と共生関係にあるようなときには、呪術や多神教が自然発生的に出てきます。しかし、異民族が侵入してきたり、多民族の帝国であろうとしたときには、こういう呪術や多神教の自然崇拝や特殊な習俗ではやっていけない。そこで、民族や部族を超えて妥当性をもつような普遍宗教・世界宗教が出てくる。仏教も儒教も一神教も、普遍宗教・世界宗教です。

実際、これらの宗教は、多民族が共存した帝国の宗教になっています。最もわかりやすいのは儒教で、漢以降の中華帝国の理念を支えます。キリスト教も、ローマ帝国の中で最初は迫害されますが、やがて承認され、「国教」的な扱いを受けるようになる。

こうした事実を踏まえたうえで、ユダヤ教に関して疑問に思うことがあります。ユダヤ教もまた、普遍宗教です。しかし、ユダヤ教というのは、強大な政治権力と言いますか、帝国的な権力と比較的そりが合わないですよね。最初のほうでも一度話題になりましたが、ユダヤ教の歴史の中で、称賛されている国王はダビデだけです。ダビデの子のソロモン王に関しては、序盤はまあまあ賢いところもあるけれど結局ダメになっちゃった、という解釈になっている。また、ダビデの前の初代の王サウルに関しては、それほど立派な王としては描かれていない。

社会学的に見れば、ソロモンの帝国のときが、ユダヤ人の歴史の中で、最も強大な権力が成立したときだと思います。それは、若干小さいながらもエジプト型の家産官僚制国家、あるいはアジア的専制国家です。そこでもしユダヤ教が権力にうまく寄生していけば、帝国の宗教となりえた可能性もあるような気がするのですが、預言者が王様をほめることはまずなくて、非常に対立的になるんですね。後にキリスト教は帝国（ローマ帝国）の宗教になりますが、その前のユダヤ教に関して言うと、預言者たちはほとんどの王を批判している。ユダヤ教は、ユダヤ人のセキュリティの神様であるにもかかわらず、強い王権に対して、よく言えばすり寄らない。そういうものとの親和性が非常に乏しいわけです。

ユダヤ教だって本来は民族の安全と軍事のためにあるわけですから、強大な権力にうまく平和的に寄生すれば、ユダヤ教としてはむしろそのほうがよかったような気もするんですけれども、実際には権力、とくに国家的・帝国的な強い権力に対して否定的なところに、この宗教の特徴があると思うんです。それはどうしてなのでしょうか？

橋爪　まず、ユダヤ教の重要な特徴は、わりに原始的な部族共同体の特徴と、王を戴く発達した古代社会の特徴と、両方を兼ねそなえているということです。ま、珍しい。

いくつか、キー概念があります。

第一のキー概念は「寄留者」。

寄留者（ゲーリーム）とは、その社会の正式なメンバーではないという意味で、いまで言うとグリーンカードみたいなものかもしれない。グリーンカード（永住許可証）というのがアメリカにあって、アメリカ国籍（市民権）は持っていないけれど、グリーンカードがあれば労働もできる。でも投票ができないとか、制限がある。それと同じで、寄留者にも権利と制限があった。ユダヤ民族はもともと、寄留者だったとされている点が、とても大事です。アブラハムは寄留者で、外国からやってきて、カナンに住みこんだ。その子イサクや、イサクの子ヤコブもそうです。

サラが亡くなったとき、墓地が必要になって、ブドウ畑の隅っこでいいから売って下さいと、地元民に交渉するのですが、なかなか売ってくれない。代金は銀四百シュケルなどと、法外な値段をふっかけてくる。寄留民の土地所有は認められていなくて、墓地なら例外的に取得できたのです。ヤハウェに約束の地を与えられたというものの、そこには先住民が住んでいて、実態はこんなものだった。そうやって苦労のすえ墓地を手に入れたと、いかにも自慢そうに、『創世記』は記しています。

墓地を売り買いしているわけで、貨幣経済だった。そして、寄留民の権利義務が定められていた。都市には、よその土地から来た商人や職人やが、大勢住んでいたのです。もう部族社会の段階ではない。部族社会には、土地所有も身分制度もない。都市では、土地を所有する貴族・地主層／一般の農民／奴隷／寄留者などの階層が分化していた。ほかに遊牧民が、都市の外側で、都市民と契約を結んで家畜を放牧していた。都市民と遊牧民は、あまり仲がよくなかった。

『創世記』の描くもともとのイスラエルの民は、部族社会の性格を色濃く残す、遊牧民です。『創世記』ほかが編集されたのは、バビロン捕囚のころ、つまり、都市生活を何百年も続けたあとですから、古きよき時代を理想化する伝統主義が投影されている。アブラハム、イサク、ヤコブ三代の物語は、そういう理想的な時代のシンボルだった。そして、彼らの地位は、土地所有を許されない寄留民だった。

ヤコブの十二人の息子の子孫が、イスラエル十二部族となり、めいめい土地を割り当てられて、カナンの地に定着します。定着までに、モーセの物語が間に挟まっている。そうやって、部族社会と土地所有を結びつけ正当化するのが、旧約聖書の構成です。シナイ半島をさまよっていた時代から、ヤハウェは自分たちの神だった。定住のあと、土地所有や貨幣経済が浸透し、部族社会が崩れ、社会は複雑になったけれども、あくまでその中心はヤハウェである。ヤハウェに従う義務は、ほかのどんな義務よりも重い。部族の時代の慣行を守ることは正しい。同胞への義務を忘れるな。ヤハウェを中心に団結せよ。旧約聖書には、そのようなメッセージが色濃く含まれている。

たとえば、安息日。ヤハウェは世界を六日間で創造し、七日目に休みました。そこで、七日目を安息日（サバス）として神聖化し、その日には仕事を休みます。これは、奴隷や牛馬の消耗を防ぐ、社会保障の意味があったと言われている。また、七年目ごとに安息年があって、畑の耕作を休んだりする。五十年目ごとに債務を帳消しにして奴隷を解放する、「ヨベルの年」という規定もあった。収穫のすんだ畑に残っている落ち穂を拾うのは寡婦や孤児の権利で、誰も邪魔できないという規定もあった。外国人労働者にも一定の保護が与えられた。こういう社会福祉的な規定（マックス・ヴェーバーはこれを、「カリテート」と呼んでいる）が、ヤハウェに対する義務としてどっさり含まれているのが、ユダヤ法なのです。

カリテートは、イエスの教えの根底にも流れている考え方で、ユダヤ教がこの点を強調しなかったら、キリスト教もありえなかった。貧富の格差の拡大や社会階層の分解を警戒し、権力の横暴を見過ごせない。低所得者や弱者への配慮を、ヤハウェは命じている。

よって、第二のキー概念は、カリテートです。

ヤハウェ信仰は、このように、神の前の平等を理想とし、古代の奴隷制社会に異を唱えるという性格もそなえている。

大澤　うかがっていて、関連する二つのことが大事だと思いました。第一に、寄留者（ゲーリーム）というのがおもしろいですね。ユダヤ人については、バビロン捕囚の後に、ディアスポラ（離散の民）ということが言われるようになりますが、もともと定住していたときでさえも、その土地には完全に所属してはいない半ば外国人だったのですね。特定の土地に定住しきらない移動する民であるということとユダヤ教というものが、深く結びついていることをあらためて感じます。

第二に、この点と深く結びついた形で、ユダヤ教の中に、原始的な部族共同体の態度が保存されている、ということがおもしろい。普通、普遍宗教・世界宗教は、部族共同体の心性を否定することで出てきますが、ユダヤ教の場合には、それを単純に排除することなく保存したままで、普遍宗教化したところが重要ですね。普遍宗教の中に、原始的な部族共同体としての性質がそのまま否定されずに継承されている。そのことのひとつが、「カリテート」ですね。これが、さらにキリスト教につながっていく。

橋爪　もう少し続けましょう。

では、ユダヤ教は、権力に対してどのような態度をとるか。

人間が権力をもつことを警戒し、権力を肯定しないのが、ユダヤ教の特徴です。古代の王国や帝国はみな、権力を肯定し絶対化して成立していたのだから、これは驚くべきことです。

では具体的に、どのように権力をコントロールするか。

まず、Ｇｏｄの意思を体現する預言者がいて、彼が王となるべき者に油を注ぎ、王に任ずる。このような手続きを踏む。Ｇｏｄがその地位を与えるので、王は自分で王になることができない。

第二に、長老の同意。長老は部族社会のリーダーで、定住したあとでも伝統的な社会集団の勢力を代表するわけですけれど、その長老たちが同意していることが、正統な王権の根拠になる。初代のサウル王が、正統な王と必ずしも考えられなかったのは、長老の同意がないのに、預言者サムエルが油を注いで王としただけだったから。それに対して、ダビデ王の場合は、各部族の長老たちが集まって、契約を結び、同意を与えた。長老たちの総意で、契約にもとづいて、ダビデは王となったのです。長老の同意が必要なら、王に対する牽制になる。

第三に、預言者の批判。王がヤハウェの意思に背いた政治を行なうと、どこからか預言者が現れて、王を糾弾する。ヤハウェとの契約に反しているではないか、と。

以上のような三段構えでもって、王権をコントロールする。

これは、結局、イスラエルの一般民衆が、王権をコントロールするということです。民衆が、権力を監視する。儒教にこんな論理はありません。ほかの宗教にも、ない。

こういうコントロールは、ヤハウェという絶対神を想定するからこそ、可能になっている。ヤハウェはどんな人間よりも、王よりも、比べものにならないほど偉い。この、絶対神のもとでの王制なるものを、ユダヤ民族が初めて考えついた。この発明は、大きな影響を後世に与え、有力な政治哲学として、人類の財産になるのです。

大澤　いまのお話は、現代社会とか現代政治を考えるうえでもヒントになるような重要な論点を含んでいますね。社会や政治を神が統轄しているなんて聞くと、現代のぼくらはものすごく非民主的な感じをもちますが、ユダヤ教の場合、神がいたがために、一種の民主制が保たれていた、と解釈できます。

ユダヤ教では、一つの絶対的な差別・差異が前提になっている。言うまでもありませんが、神と人間、神と被造物の差別・差異です。その差別・差異が圧倒的・絶対的であるがために、ヤハウェという例外的な点との関係で、すべての人が平等化されるという仕組みになっているように思います。その結果として、王権を民衆がコントロールするという、一種の民主主義が実現したのでしょう。ヤハウェは、民主主義的平等を可能にする、絶対的な例外的な差異ですね。王といえども、ヤハウェとの関係を考えれば、他の人間と違うわけではないので、勝手な権力はふるえません。

たとえば、儒教と比べると違いは明白です。儒教の場合も、人間に先天的な差別があるとは考えませんから、レイシズムとかカースト制とは違いますが、しかし、徳のある格の高い人間と徳のない格の低い人間とが、政治において異なった役割を果たすのは当然であると考えられている。徳のある天子は、統治し、教化する側ですが、徳のない民衆は、もっぱら教化の対象でしかない。天子も、あまり民衆に嫌われてしまうと、「天命」を失ったと言われかねませんから、民衆のためになる政治をしなければなりませんが、徳のない民衆による政治、なんていうことは儒教的には考えられません。

いまの橋爪さんのお話で思い出したのは、たしか『サムエル記』でサウルを王に選ぶとき、サムエルが神の言葉として「王様なんてほんとうはいらないんじゃないか」みたいなことを言う場面ですね。神は、もし王様が出てきたら、お前ら奴隷にされちゃうかもしれないぞ、税や娘を取られるかもしれないぞ、みたいなことを言って、それでもいいのか？と民衆に問う。でも、ユダヤ人の側としては、さっきおっしゃったように戦争に勝つためにはやっぱり強力なリーダーが要るから、どうしても王様を選んでくれということで、しょうがないから神の言葉としてサウルを選んでいく。こんなプロセスでした。

まあこれはもちろん後でつくられた話だから、結局はユダヤ人の王国が堕落し、滅亡したことを知っている立場から、「初めから神様はそういうものに賛成じゃなかった、乗り気でなかった」ということにしたのではないか、と思うのですが。……いずれにしても、ユダヤ教では、最初に王様を選ぶところから、「ないに越したことはない」という話で始まるんですよね。唯一ダビデだけがかなり偉い王様ということになっていきますけど、ほんとうにダビデは例外中の例外で、一般にはユダヤ教は王様に対しては冷たいですよね。

14　預言者とは何者か

大澤　ここまでの話の中で、「預言者」のことは何度も言及され、預言者というものがいることが前提になってきましたが、でもあらためて考えてみると預言者とはいったい何なのでしょう?

ヴェーバーの『古代ユダヤ教』のなかでも、預言者は重要なポイントになっています。キリスト教の教義に内在すれば、イエス・キリストと預言者は別のものですけれども、しかし、社会学的にみれば、イエス・キリストみたいなものが社会的に出てくるベースとして預言者の伝統があったということは、間違いないですよね。預言者というものをユダヤ教が知らなければ、後になってイエス・キリストが出現することもなかったでしょう。イエス・キリストは、やはり預言者の系列の中から出てきた。

質問のポイントを先に整理しておくと、一方に人間を絶した神がいるわけです。だから人間はその神に直接会ったりすることはできない。だけれども、神があまりにも人間の世界から超越していると、人間と神とは無関係になりかねず、そうなれば、神は人間にとって存在しないに等しいことになってしまいます。しかし、神は、他方で、たえず人間にメッセージを送ったり、人間の世界に介入したりしなくてはならない。つまり、人間がそれへと関係することができないほどに隔絶していながら、他方で、たえず人間に関係しつづけなくてはならない、という神に関するアンティノミー（二律背反）的な要請に対して応える要素として、数少ない「神の言葉を聞くことができる預言者」というものが入ってきているんじゃないかなというのがぼくの仮説です。この預言者とはいったい何であるか？

それから、この宗教に内在した観点から、ぼくがいつも思う疑問があるのです。神は直接見ることはできないわけですね。だから、神様が預言者に対して何かを委託している証拠があるわけでもないし、その現場を誰かが確認するわけでもない。ですから簡単に言えば、ニセ預言者というのが横行しうるわけですし、実際に横行していたでしょう。それに対して、何人かは本物の預言者だとして、聖典にもその言葉が入っていたりする。ここには本来確認できないものを確認するというような矛盾があるんですよね。ですから、預言者はどうやって己の真正性を証明したのか。あるいはどうやってその預言者が本物であるということを人びとは知ることができたのか。預言者というもののオーセンティシティ（真正性）がどういう形で保証されていたのか。すごく疑問に思うわけですね。

橋爪　これも、とても大事なポイントです。

預言者。これは一神教にしか、考えられない存在です。

ヤハウェの声を聞くのが預言者です。

歴史的にみると、預言者には、三段階を区別できる。預言者の前史（先駆形態）、預言者の本格期（いわゆる預言者の時代）、それから預言者後期。

預言者前期には、「霊に満ちた状態」（ようするに、神がかりみたいな状態）になって、神の言葉を聞いたり、幻を見たり、ふらふらになったりする人びとがいた。士師の時代のイスラエルは、いくつもの部族（グループ）に分かれていて、完全に定住農耕を営んではいなかった。この時期、人びとをひとつに束ねていたのは、戦争神であるヤハウェを共に信仰するという「祭祀同盟」だった。まあ、戦争のために集まるわけですが、それには、ときどきヤハウェの声が聞こえる人（のグループ）がいるとちょうどよかったのです。この段階では、よくあるシャーマンと、あまり違わなかったかもしれない。

預言者サムエルは、集団で暮らしていたという記述がある。サウルはこの集団の人びとと一緒に、しばしば神がかり状態になっているし、ダビデもたまにそうなった。初期の王たちは、預言者の性格も持っていたようです。

初期の預言者たちは、ヤハウェの言葉も伝えるが、「行方不明になった羊はどこにいます」みたいなことも告げていたようで、占い師みたいでもあった。

さて、預言者の本格期。イザヤ、エレミヤ、エゼキエル、エリヤ……といった、有名な預言者は、この時期に属します。

この時期は、王制の時代で、王と一般民衆の利害が相反し、王が重税を課したり外国と同盟を結んで異教の神を拝んだりすることが問題になった。王が、神との契約に背いている。そこで預言者が、王を批判しに、登場してくる。このままでは、ヤハウェの怒りが王にくだり、この国は滅びてしまう。そういった警告の預言をする。人びとは恐れるし、王としても無視できない。

典型的な預言者には、以下の特徴があるとヴェーバーは言っています。第一に、本人の意思と無関係に、神によって選ばれてしまう。なりたくて預言者になるわけではない。羊飼いや農夫に、突然神が語りかけるのです。第二に、報酬をもらわない。警告の預言は、聞いて嬉しい人はいませんから、誰もお金を払わない。報酬がなければ職業にならないから、アマチュアです。第三に、特別な訓練や能力が必要ない。よくある霊能者は、訓練を積んでそういった役割を果たすのですが、預言者に限っては、そういった準備は不要。知識人や、特別な才能をもった人である必要もありません。第四に、権力と距離をおき、反体制です。神に背いた権力者に、神の言葉を伝え、権力を批判する。批判の根拠は、神との契約です。

こういう預言者は、ほんとうにユダヤ教に独特です。多くの国には宮廷予言者がいて、王に雇われ、王の諮問に応えて助言をします。予言者は特別な能力をもった知識人で、王様のブレーンですから、民衆の敵です。実はユダヤの宮廷にも、ダビデ王の時代のナタンとか、ガドとか、それに類する預言者がいた。イザヤも、国王に影響力をもつ、社会的地位の高い人物だったらしい。でも、最も典型的な預言者はそうではなくて、荒野から、民衆のあいだから出現する。

第三期（預言者後期）。預言者たちの預言がそれぞれ書物となって、預言の書（ネビイーム）にまとめられました。旧約聖書の真ん中の部分で、そのあと、バビロン捕囚の前後に、冒頭の部分（モーセ五書、トーラー）が成立した。

さて、モーセの律法が書物として成立してみると、ヤハウェとの契約に従っているかどうか、誰でも簡単にわかるようになった。預言者に警告されなくても、モーセの律法を学んだ律法学者が、人びとにヤハウェとの契約（すなわち、ユダヤ法）について、教えられるようになった。

この律法学者と、預言者とが、仲がわるいのでした。律法学者にしてみれば、せっかく預言書がまとまって、神の言葉が文字テキストのかたちになったのに、まだ新しく預言者がつぎつぎ現れて、神の言葉を伝えては迷惑です。そこで、そういう預言者が現れると、

「ニセ預言者が現れた」と、捕まえて殺したりした。だから、律法学者が力をもつようになると、預言者の活動の余地はだんだん小さくなる。エズラ、ネヘミヤを最後に、預言者の活動はあまり伝えられなくなるのです。預言書も残っていない。

とは言え、律法学者（イエスの時代には、パリサイ派と呼ばれた）といえども、預言者の預言をまとめた書物によって活動しているわけで、ニセ預言者を排除できるだけ。ほんものの預言者なら、その「権威」（神から出たものであること）を認めて、受け入れなければならない。そこで、預言者らしい人が現れるたびに、それがほんとうの預言者なのか、ニセ預言者なのか（神からのものか、人間のものか）を判断しなければならない。洗礼者ヨハネや、ナザレのイエスも、そうやってチェックされた。

洗礼者ヨハネは、「悔い改めよ、裁きの日は近づいた」と警告して回ったので、預言者です。しかし、その活動が原因で、ヘロデ・アンティパスに逮捕され、娘サロメが踊ったご褒美に、首を斬られてしまった。裁判抜きで死刑になった。イエスも、預言者として活動し、パリサイ派（律法学者たち）やサドカイ派（神殿祭司たち）に憎まれて、ニセ預言者の嫌疑で宗教裁判にかけられ、死刑になった。

イエスはエルサレムを、おおぜいの預言者を拒み、血を流してきた町、とのべています（マタイによる福音書23章37節）。イエスは、自分の前にも、多くの預言者がニセ預言者として処刑されてきた、自分もそうなると、覚悟を決めていたのです。

さて、質問のポイントですが、預言者とニセ預言者をどうやって区別できるか。

それにはまず、なぜＧｏｄは、じかに自分の言葉を伝えないで、預言者を通して伝えるのだろうかと考えなければならない。

ヤハウェは何でもできるから、天に大きな拡声器をつけて、「私はヤハウェです、みなさん、私の言うことを聞きなさい」と、放送してもいい。それなら、神の言葉かそうでないのか、疑問の余地はない。でも、そうしないで、預言者を選んで、みんなにも伝えてねと、彼にだけ言葉を語りかける。残りの人びとは、預言者の言葉を聞いて、神の言葉だと信じる。あるいは、そんなはずがないと思う。つまり、神の言葉は、それを神の言葉だと信じる人びとの態度とともにしか存在できないのです。ヤハウェはこのように、Ｇｏｄと人間の関係を設計した。預言者という器を通すことで、人間が神の言葉を信じるかどうか、試しているとも考えられる。

こうして、Ｇｏｄの言葉を信じる宗教共同体が存在し始める。ヤハウェに選ばれた民、イスラエルの民が存在することになる。

さて、大事な質問に戻ると、ほんとうの預言者をどう見分けるか、です。

ヴェーバーの説を参考に、その規準を整理してみると、第一に、これまでの預言者の預言（Ｇｏｄの言葉）を踏まえていること。第二に、預言が実現する（現実と合致する）こと。第三に、ほかの預言者たちに預言者だと認められること。ほんとうの預言者はこれら三つの規準を満たしている。

さて、この三つはどれももっともだけれど、規準としてはあやふやです。特に、預言が実現するかどうかは、結果論なので、預言したばかりなのに判断するのはむずかしい。ほんものの預言者のはずのイザヤも、預言が実現しなかったと言われ、一時、預言者としての活動を控えたというほどです。

律法学者は、ニセ預言者のレッテルがあれば便利ですが、じつは預言者も、ニセ預言者という概念を必要とします。人びとが預言者を必要とするのは、価値観が混乱し社会規範が乱れているときで、おおぜいの預言者が現れて勝手な預言をする。全部がほんとうの預言だということはありえない。どれかがほんとうの預言なら、残りはニセの預言ということになる。洗礼者ヨハネもナザレのイエスも、その言葉が「神からのものか、人間のものか」が問題になった。それは、そういう意味です。また、イエス自身が、神の裁きの日が近づくと、おおぜいのニセ預言者が現れて人びとを惑わす、とのべている。ほんものの預言者は、ほかはニセ預言者だと主張しなければならない。というわけで、「どれがほんものか」論争は、なかなか決着がつかないのです。

預言者について、大事だと私が思う点を、最後にのべておきましょう。

預言者とはどういう考え方かというと、その辺にいる誰かが、場合によっては、神の言葉みたいな絶対の規範をのべる場合がある、と考えること。言葉が絶対の支配力をもつことへの、信頼なのです。

この信頼がないと、預言者は存在できない。イエスも故郷のナザレに戻ったら、「なんだ、大工の息子じゃないか」「いつのまにあんな知恵を身につけたんだ」などと言われ、預言者として受け入れられなかったといいます。

言葉はふつう、誰かが誰かに話すものなので、人間同士の関係のなかで相対化されてしまう。それに対して、預言者は、Ｇｏｄの言葉を伝えるので、その種の相対化と絶縁し、言葉の絶対的な性能を研ぎすますことができる。この伝統から、神学や哲学や科学やジャーナリズムが生まれたと思うのです。

15 奇蹟と科学は矛盾しない

大澤 たしかに、素朴に考えれば、神はわざわざ特定の預言者にだけ声を伝えなくたって、なんでもできるんだからもっと直接、みんなに伝えればいいわけですね。けれども、そうはしなかった。そうはしなかったのを、みんなが自然と受け取っているというのがある意味でふしぎなんですが、まあでもそうなった。このときには、何かを語っているある人を預言者として受け入れるか受け入れないかという信仰の問題が出てきますよね。「信仰」というものには、決断の要素が、したがって責任という契機が入ってくるところが、「認識」とは違うところだと思います。神の声が拡声器か何かで直接聞こえてくるとしたら、「雨が降ってきた」ということを認識するのと同じことになるので、ここには決断の要素はありません。しかし、ある人を預言者として受け入れ、その人にコミットするということは、究極的には根拠がないところを、「えいやっ」と思って決断し、選択することです。ここに、認識とは違った信仰における「決断」という要素が入ってきます。そう考えると、神としては、その声を、拡声器で伝えるより、預言者を選んで伝えたほうがよかったのでしょう。

橋爪　これはね、人間と神の共同作業になるんです。神の言葉が伝わるために、神だけではなくて人間の働きも必要である。共同作業だから、神と人間のあいだに対等なコミュニケーションがあるとも言える。神は圧倒的に偉大で、人間はとても弱いのだけれども、共同作業しているからには対等でもある。

大澤　まあ客観的に見れば、はっきり言って、人間がその人を預言者と認めるから預言者になっているだけですからね。

橋爪　神はそれでは、ちょっと無責任かもしれないと思って、奇蹟を起こすことにした。預言者が預言者であるしるしに、奇蹟を起こす。手形の裏書きのようなものです。

一神教の奇蹟の考え方を、よくあるオカルト信仰と勘違いしてはいけない。むしろ、オカルト信仰とは正反対です。世界は、Ｇｏｄが創造したあと、規則正しく自然法則に従って動いている。誰も、自然法則を一ミリでも動かすことはできない。その意味で、世界はすみずみまで合理的である。でも必要があれば、たとえば預言者が預言者であることを人びとに示す必要があれば、Ｇｏｄは自然法則を一時停止できる。これが、奇蹟です。世界が自然法則に従って合理的に動いていると考えるからこそ、奇蹟の観念が成り立つ。

よく、この科学の時代に奇蹟を信じるなんて、と言う人がいますが、一神教に対する無理解もはなはだしい。科学をつくった人びとだからこそ、奇蹟を信じることができるんです。科学を信じるから奇蹟を信じる。これが、一神教的に正しい。

大澤　これもやっぱり日本人には難しいところでしょうね。先ほど、ヴェーバーの「脱呪術化」という論に言及しましたが、呪術を完全に否定してしまった後に、奇蹟というものが出てくる。奇蹟は、呪術とは逆に、自然法則が厳格に支配する合理的な世界の方に属している、ということですよね。つまり、呪術対科学という対立の中で、奇蹟は、むしろ科学の側に属している。自然法則の普遍的な支配（科学的な合理性）とその例外的な停止（奇蹟）との間には、表裏一体の関係がある、ということが理解のポイントだと思うのです。しかし、一神教に対して馴染みが薄い日本人には、そうとう理解が難しいところでしょうね。日本人には、奇蹟と呪術は、むしろ似たようなものに見えてしまう。

橋爪　わかりにくいですよね。

大澤　たとえばモーセの杖が蛇になったりすると、なんか強烈な呪術だと思うわけですけれど、それは神がモーセに言葉を託していることの証拠として惹き起こされた奇蹟だというわけですね。……まあいきなりしゃべったところで、なかなか神の言葉であるとは信じてもらえないだろうから、そうだということを示すためにこういうことができるようにしてくれたという話ですよね。これは、一神教に慣れていない人には、なかなか理解の難しいところですね。奇蹟とマジック・呪術がいかにまったく逆のものであるかということは……。呪術とかマジックは、自然の通常の運行の中で実は起きていることで――実はそこには先ほど「神強制」ということで述べたような矛盾が最初から孕まれているわけですが――、それに対して、奇蹟というのは、橋爪さんが話されたように、一方では、合理的な自然法則の厳格な支配を確保しておいたうえで、それに対する完全な例外として生じている、というところにポイントがあると思うのですが。

橋爪　これはヴェーバーが強調していることで、このことを理解しておくべきですね。このことは、一神教文化圏の常識だし、国際常識です。

日本人が、このことをなかなか理解できないのに、マルクス主義が輪をかけている。マルクス主義は、自分は科学であると主張し、しかも宗教はアヘンだとのべている。偶像崇拝にも反対している。となると、科学は、奇蹟など信じてはいけない、という感覚になる。でもこれは、マルクス主義の考え方にすぎないんですよ。

大澤　なるほどね。おそらくマルクス主義だけでなく、啓蒙主義以降の、合理的な自然科学の世界観というのも、宗教の足かせを否定しながら出てきたみたいに言われるわけですけど――もちろんある意味ではそうですけど――、しかし、もうちょっと深く考えれば、むしろ宗教的な伝統から出てきたという側面のほうが強いんですよね。マルクス主義だってむしろユダヤ教以上のユダヤ教みたいなところがあるわけですよ。

橋爪　そうそう。

大澤　たとえば、マルクス主義者は「貨幣物神」はけしからんと言うわけですが、それはまあ偶像崇拝の批判なんですよね、ほんとうは。もっとほんとうの神様は別のところにあるぞという論理ですから。「科学的」と言われる世界観はユダヤ・キリスト教を否定したというよりも、それをより徹底させたというか、ヘーゲル風に言えばアウフヘーベンしたみたいなことがあるわけです。しかし、われわれはそれを「否定した」というふうにとってしまうので、科学的世界観とユダヤ・キリスト教的世界観が対立しているという側面だけを見てしまう。しかし、ユダヤ・キリスト教的な世界観の中から出てきた合理主義というものがある、ということを押さえておかなくちゃいけないと思います。このことは第3部でさらに突っ込んで考えていきましょう。

16 意識レベルの信仰と態度レベルの信仰

大澤 第1部の締めくくりにお聞きしたいのは、信仰という心の状態についてです。学生と、宗教や宗教社会学について話しているとき、彼らがつまずいていると思う箇所は、非常に素朴なところなんですけど、キリスト教とかユダヤ教を「信じている」という心の状態がなかなか思い描きにくいようです。

信じているとはどういうことかと思って、聖書を開いて読んでみます。そうすると、当たり前なんですけど、われわれから見れば荒唐無稽なことが書いてあるわけですよね。神様が光あれと言って、光と闇が分かれ、昼が出来た、夜が出来たとかいうようなことが書いてある。それを文字通り信じることができる時代もあったけれど、現在では宇宙の始まりはビッグバンであり、人間は猿から進化してきた、と考えるほうが主流です。

もちろん、いまでもキリスト教原理主義者が、聖書に書いてあることを文字通り受け取らなきゃいけないと言っていたりもします。ときどき報道されていますが、アメリカの福音派の人たちの中には、『創世記』の記述を、少なくとも進化論と対等に教えるべきだ、と言っている人もいる。

しかし、そういうものが、現代の信仰のドミナントな在り方だとは必ずしも言えない。つまり、近代的な世界観を基本のところで受け入れながら、なおかつクリスチャンでありうる、あるいはユダヤ教徒でありうる。そのような心の状態は当然あるわけです。実際、ぼくらの知っている多くのクリスチャン、キリスト教学者を含むクリスチャンの多くは、そうなのです。大多数の、近代の啓蒙されたクリスチャンは、たとえば進化論は進化論でそれなりに真実であると思いつつ、なおかつクリスチャンでありえたりするわけですよね。そうすると、信仰ってじゃあ何なの？　キリスト教やユダヤ教を信じているってどういうことなの？　そのような疑問が出てくるわけです。

橋爪　二つのことがありますね。

ひとつは、キリスト教はもともと、聖書を「文字通りに」正しいと信じるものではありません。聖書はあちこち矛盾していることが明らかなので、文字通りに信じることができないテキストです。だから、信徒がみなで相談して、この部分はこう読みこう信じましょうと決議して、その解釈に従って信じる。その解釈として有名なのが三位一体説ですけれど、三位一体説は「説」というぐらいで、学説なんです。聖書に、三位一体説がのべてあるわけではない。聖書を首尾一貫して信仰するには、こういう解釈がいいでしょう、という強力な学説です。

三位一体説でなくても、聖書を信じることはできます。ただし、そうすると、いわゆる異端になってしまう。

もうひとつは、科学と聖書の問題ですね。

日本人は、聖書を読むと荒唐無稽なことが書いてあるので、この科学の時代にキリスト教を信じるなんてナンセンス、という印象をもつ。

科学と宗教が対立する、と考えることのほうがナンセンスです。

科学はもともと、神の計画を明らかにしようと、自然の解明に取り組んだ結果うまれたもの。宗教の副産物です。でもその結果、聖書に書いてあることと違った結論になった。そこで多数派の人びとは、「科学を尊重し、科学に矛盾しない限りで、聖書を正しいと考える」ことにした。こうすれば、科学も宗教も、矛盾なく信じることができます。地動説や進化論やビッグバンセオリーは、こうしてキリスト教文明の一部に組み込まれた。

多数派の考え方　　福音派の考え方

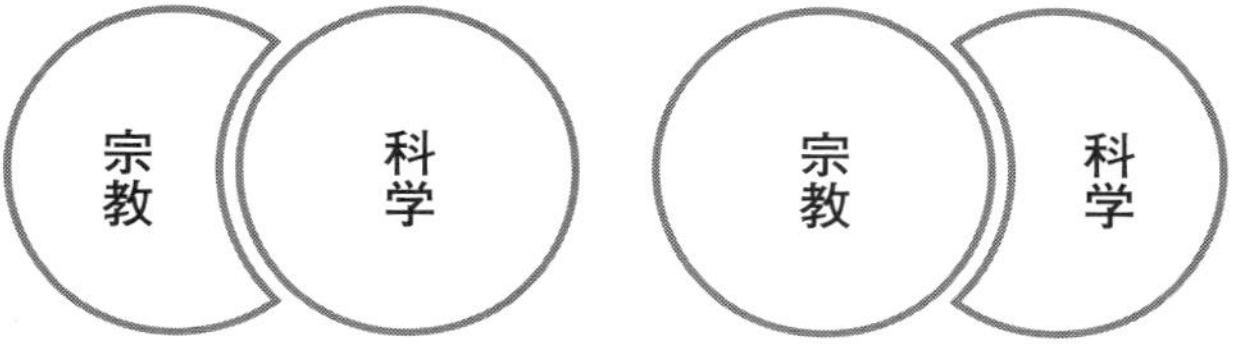

科学と矛盾しない限りでキリスト教を信じる

キリスト教と矛盾しない限りで科学を信じる

これに対して、福音派みたいに、聖書を文字通り正しいと考える人びとがいます。極端な考え方で、少数派だが、アメリカなどではそれなりの勢力をもっている。進化論に反対したなどとニュースになる、あれです。

日本では、科学を信じない福音派を馬鹿にする傾向がありますが、私に言わせれば福音派の考え方は、多数派のキリスト教徒とある意味そっくりです。どうしてかと言うと、福音派は多数派の裏返しに、「聖書を尊重し、聖書に矛盾しない限りで、科学の結論を正しいと考える」ことにした。こうすれば、やはり、宗教も科学も、矛盾なく信じることができます。

聖書も、科学も、どちらも包括的な考え方の体系で、それを信じて生きていくことができる。問題は、両者が互いに矛盾する場合があることです。両方を正しいと考えることができない。そこで、矛盾を避けるため、片方を信じないことになる。多数派は、聖書を話半分と考える。福音派は、科学を話半分と考える。結論は反対になるけれども、考え方は瓜二つ。きわめつけの合理主義なのです。

これと違うのが、日本人。山本七平さんが挙げている例なのですが、山本さんがフィリピンで戦って、アメリカ軍の捕虜になった。山本さんは将校で英語が話せたので、アメリカ軍の将校にいろいろ質問された。「進化論を知っているか?」。天皇が現人神だと信じて狂信的な戦争をしている日本人は、きっと進化論など知らないのだろうというわけです。山本さんの答えは、「日本人はみんな、進化論をよく知っているし、正しいと信じてますよ」。これに、目を白黒させたのが、アメリカ軍の将校です。なぜ進化論と、天皇が現人神であることと、両方を信じることができるのか理解できない。

整理しましょう。進化論は、サルが人間に進化したと考える。天皇も人間である。それなら、天皇の祖先をさかのぼると、サルになる。いっぽう現人神は、神(天照大神)の子孫が天皇だと考える。天皇の祖先をさかのぼると、神になる。サル→天皇、神→天皇、は形式論理からいって、矛盾するはず。日本人はその両方を信じている、というのです。アメリカ軍の将校でなくたって、これは理解できない。

日本人は、自分が矛盾したことを信じていると、気がつかないし、気にしない。

たぶん、それは、学校教育のせいです。進化論を習うのは、理科の時間。現人神について習うのは、歴史の時間。別な時間の別な科目だから、互いに関係ない。学校も気にしないで、理科の時間と歴史の時間に、矛盾する内容を教えている。教わる側は、学校の教えることは正しいからと、両方ともまる暗記する。この態度は、いまの日本人にもそのまま当てはまるのではないでしょうか。

こう考えるなら、日本人に、福音派の人びとを馬鹿にする資格はないんです。福音派の人びとは、矛盾律を理解して、それに合わせて自分を律している。日本人は、矛盾律なんか気にしていない。矛盾律以前の段階だ。

大澤　なるほどね。最後に、この後に続く対談のために、一言、付け加えておきたいと思います。信仰というのは、意識のレベルと、本人が意識していない態度や行動のレベルとがあるような気がします。普通、「信仰」というとき、どうしても、意識のレベルで考えますが、ほんとうは、態度のレベルのほうがより基礎的ではないでしょうか。

たとえば、マルクス主義の公式見解からすると、宗教はアヘンであり、キリスト教をはじめとする宗教は斥けられる。つまり、マルクス主義者は、意識のレベルでは、どんな宗教も信じてはいない。けれども、マルクス主義という世界観の形式自体が、宗教的、一神教的です。だから、意識のレベルでは宗教を斥けているようでも、マルクス主義の歴史観に説得力を感じ、それを受け入れる態度の中に、すでに信仰は入りこんでいる。ぼくらは、意識の以前にある、このような態度のレベルの信仰を考えなくてはいけないと思うのです。

もう一つ例を挙げておくと、リチャード・ドーキンスという進化生物学者がいますね。彼は、非常に優れた学者であり、また一般向けの本も定評がある。最も有名な『利己的な遺伝子』という本は、社会生物学や進化論の解説としては最高の水準です。ドーキンスは、また、福音派が奉じているような創造説を熱心に批判している。最近翻訳された『進化の存在証明』という本でも、『創世記』の創造説を斥け、生物進化が事実であるということを証明しようとしています。この本の中で、彼は、たとえば次のようなことを書いています。進化というのは、その場しのぎ的なトライアンドエラーの繰り返しの結果なので、生物の身体の仕組みには、しばしば、効率が悪いと思わずにはいられないようなものがある。もし神が、宇宙をきちんとデザインして、創造したとするならば、こんな未整理で効率の悪いものになるはずがない。つまり、宇宙は、神のような知性が創造したものではない……。

ドーキンスは、自分は無神論者で、キリスト教等のいかなる宗教も信じてはいない、と言います。たしかに、意識のレベルではそうです。しかし、ドーキンスの本を読むと――それはとてもよい本ですが――、その内容は聖書とは矛盾していても、あのような本を書こうとする態度や情熱は、むしろ宗教的だ、と思わざるをえません。創造説を何としても批判しなくてはならないというあの強烈な使命感、そして創造説か進化論なのかということに関連した、一貫性への非常な愛着。こうしたものが、宗教的でなくてなんだろうか、と思うのです。今の橋爪さんの例をお借りすれば、皇国史観と進化論とを両方取るわけにはいかないので、何としてでもどちらかに統一しようとするのがドーキンスです。ドーキンス自身の意識とは別に、ここに宗教性がある。

現代を考えるうえで重要なのは、このような態度のレベルの信仰だと思うのです。もうキリスト教なんて形骸化しているとか、もう信じている人はごく一部にすぎないとか、そういうふうに思う人もいるかもしれません。しかし、意識以前の態度の部分では、圧倒的に宗教的に規定されているということがあるのです。そうするともともとのユダヤ教、キリスト教、あるいはその他の宗教的伝統がどういう態度をつくったかということを知っておかないと、世俗化された現代社会に関してさえも、いろんな社会現象や文化について全然理解できないことになるんですね。

橋爪　まったく同感です。

第２部　イエス・キリストとは何か

1 「ふしぎ」の核心

大澤 第1部で橋爪さんがおっしゃったように、ユダヤ教とキリスト教は、ほとんど同じです。その違いはある意味でただ一つ、イエス・キリストがいるかどうかでした。そこで第2部では、キリスト教のキリスト教たる所以であるところのイエス・キリストとはいったい何であるか、「ふしぎなキリスト教」の「ふしぎ」の核心を議論したいと思います。

繰り返しになりますが、啓示宗教としての一神教には、ユダヤ教とキリスト教とイスラム教があります。この三つの宗教には系譜関係のようなものがあって、最も古いのはユダヤ教。つぎにキリスト教がこの上に付け加わった。そして、最も新しいのがイスラム教です。後から出てきた一神教は、前の一神教を前提にしています。

ここで比較の対象としておもしろいのは、イスラム教です。イスラム教は、ユダヤ教やキリスト教をその内部に取り込みながら出来あがっています。しかし、イスラム教にも、イエス・キリストというものはないのです。ユダヤ教にイエス・キリストが存在しないのは当然として、キリスト教を視野に収めているイスラム教にも、イエス・キリストという要素は存在しない。

イスラム教にはムハンマド（マホメット）がいるじゃないか、それにあたるのがキリスト教におけるキリストじゃないか、というような言い方もよくされたりするんですけど、それはやはりかなり違う。どう違うのか。ムハンマドは、イスラム教にとってはもちろん特別な人です。しかし、いくら特別でも、ムハンマドは預言者です。最も偉大な預言者ではあるけれど、預言者は預言者です。

それに対して、キリスト教にとって、イエス・キリストは預言者ではない。イエスは、モーセとか、イザヤとか、エゼキエルのような預言者ではないのです。ちなみに、イスラム教の観点からすると、イエスは、ムハンマドより格下の、一人の預言者にすぎません。しかし、キリスト教にとってのイエス・キリストは、ただの預言者とは質的に異なっている。

とすると、イエス・キリストというのは何なのか。それをどういうふうに理解すべきなのか。あるいは、宗教社会学的にみて、それがどういうふうに理解されてきたのか。ここが「ふしぎ」の源泉です。

さて、まず非常にシンプルなことを確認させてください。新約聖書には、最初のほうに福音書というのがあって、そこにイエス・キリストがどういう人か、どういうふうに生まれてきて、どういうことをやって、どうやって死んだかということが書かれている。さらに、彼が復活したということも書かれています。

この福音書によれば、イエス・キリストは、ふつうに考えるとかなり超人的なことをたくさんしています。現代人の合理主義の観点からすると、そこに書いてあることが、文字通りに起きたというふうには必ずしも思えない。一番の核になる「復活」が、とくにそうですね。ほかにも、五つのパンと二匹の魚を五千人に分け与えて、全員を満腹にさせたとか、湖の上を歩いたとか、ありそうもないことをやっています。

そうすると、最初に疑問に思うことは、「そもそもイエス・キリストって本当にいたの?」ということですよね。

たとえば、古事記や日本書紀に天照大神やスサノオノミコトのことが書かれていますが、ぼくらは、これはもちろん一種の神話であると考えます。人間の想像力のなかでは存在しているけれども、ふつうの意味で実在していたとは考えません。あるいは旧約聖書の最初のほうにある天地創造の話も、はっきり言えば、フィクションだと思っています。(もっとも、昔の西洋の学者は、大真面目に天地創造がどのくらいの過去かを議論していましたが、さすがに現在では、よほどの原理主義者でない限り、そんなことはしません。)

しかし、イエス・キリストについてはどうなんだろうか。

少なくとも彼が生きていた年代はおおむね確定されている(ことになっている)。ぼくらの暦は、イエスの誕生日を起点にして数えることになっていて、現在は、それから数えて二〇一一年経っているとされているくらいです。したがって、神話というより歴史に近いような気がします。

はたしてイエス・キリストは実在したのか、それともこれは純粋に人間の観念の問題として考えるべきなのか？　これについてはいろいろな解釈があるでしょうが、簡単に解説していただいて、考察のきっかけにしたいと思います。

橋爪　結論から言うと、イエスは実在の人物だと、私は思います。

けれども、そう結論するには、だいぶ手続きが必要です。

まず、「実在の人物」とはどういう意味か。

歴史学では、その人物が実在した「証拠」が見つかることをいう。墓が出てくれれば一番なのですが、文字記録が見つかること。どこで何をしたと書き留めた記録が見つかり、それが真実らしいこと。さらにそれが、クロスチェックできるとなおよい。クロスチェックとは、別々の系統の史料に両方とも記録が残っていることです。たとえば、敵味方の両方の側に共通の記録が残っていれば、かなり信頼できる。

イエスについては、文書記録があります。でもそれは、福音書に限られる。キリスト教の初期教会が伝える福音書がすべてだと言っていい。福音書には四つ（新約聖書に収められなかったものも入れると、もっとたくさん）あって、似通った内容です。マルコによる福音書が一番古く、後からの福音書は先のものを参照して書いている。つまり、ひとつの系統の文書なんです。こういう場合、信者たちの創作（フィクション）ではないかという疑いが成り立つ。

別の記録、たとえば、ユダヤ教側の文書とか、イエスを十字架で処刑したローマ側の文書とかが見つかれば、イエスが実在した可能性がぐんと高まります。そこで、大勢の学者が、いろんな記録をしらみつぶしに当たったのですが、見つからなかった。イエスは、ヘブライ語ではヨシュア。よくある名前なので、ナザレのイエスのことだという証明がむずかしいのです。

クロスチェックができないと、実在の人物だったという証明ができないことになってしまいます。

にもかかわらず、イエスが実在の人物だった、と私が思うのは、福音書がイエスの言葉を多く伝えているからです。それを読むと、比喩が豊富で、生き生きした印象を受ける。ひとりの人間がそこにいるという手応え、ありありとした人格の一貫性を感じる。イエスが実在しないのに、福音書の著者たちがよってたかって創作したと考えるほうが、よっぽど不自然だと思うのです。

福音書に書いてあることの、どこまでが実在のイエスのことで、どこから先がのちに付け加わった部分かは、難しいんですけど、教えをのべる言葉の核心の部分は、実際にイエスがそう語っていたのではないか。そういう意味で、それを語ったイエスという人物は実在したんじゃないかと思います。

大澤　ぼくもイエスは実在したと考えています。実際、多くの学者も同意見でしょう。

この単純な問題から入ったのには、少し意図がありました。キリスト教の信仰は、イエスについての歴史的事実を信じるということを根幹に据えていますね。つまり、二千年ほど前に、イエスという男が弟子たちを引き連れて、パレスチナあたりを放浪していたという出来事を信じるということを、キリスト教の信仰は含んでいます。

これがいかに特殊なものであるかは、仏教と比較してみるとわかります。

仏教は、シャカ族の王子として生まれたゴータマ・シッダルタが開いた。シッダルタが覚りを開くまでの経緯や、彼のその後の人生については、いろいろなことが知られ、語られています。仏教徒は、もちろん、たいていそうしたことを信じているでしょう。しかし、仏教を信じ、覚りにいたるということは、仏教の教義に示される真理を納得し、受け入れることであって、シッダルタをはじめとする仏教関係の歴史的な人物たちにまつわる語りを事実として受け取るということとは独立だと思います。

それは、相対性理論とアインシュタインが別のものであるのと同じです。相対性理論はアインシュタインが発見したから真理なわけではない。他の人が発見しても真理です。同様に、仏教の真理は、シッダルタが言ったから、あるいはシッダルタが覚ったから真理なわけではない。

しかし、キリスト教の場合には、そうはいきません。イエスについての出来事とは独立に、イエスの言ったことだけを信じる、というわけにはいかないのです。キリスト教の信仰とは、イエスについての歴史的な出来事にコミットすることですし、イエスの真理は彼の語ったこととの中にのみあるわけではなく、彼が関わった出来事全体の内にある。イエスが生まれ、いろいろなことがあった後に死んで、そして復活したという出来事は、キリスト教の真理の中心です。だからこそ、イエスの存在が歴史的な事実であるかどうかというのはすごく重要なことなんですよね。

2　なぜ福音書が複数あるのか

大澤　ともかく、イエスは歴史的に実在したと考えていい。そうすると今度は、イエスの文書記録である福音書について、疑問がわいてきます。おっしゃるように、新約聖書に収められた（つまり公式に正典とされている）福音書というのは四つあるんですよね。それらは、ほぼ同じことを、つまりイエスについての一連の出来事について報告しています。

しかし、厳密に言えば少しずつ違うんですね。とくにヨハネの福音書は、他の三つとの相違がかなり大きい。他の三つ、つまりマルコ、マタイ、ルカの福音書は、構成も内容もかなり似ていて、だから共観福音書——相互に比較対照しながら一緒に読む福音書という意味でしょう——などと呼ばれることもあります。しかし、この三つの間でさえも、かなり重大な違いがあって、イエスが十字架の上で何を言ったかとか、裏切り者とされるユダがどう行動したかとかがはっきりわかりません。

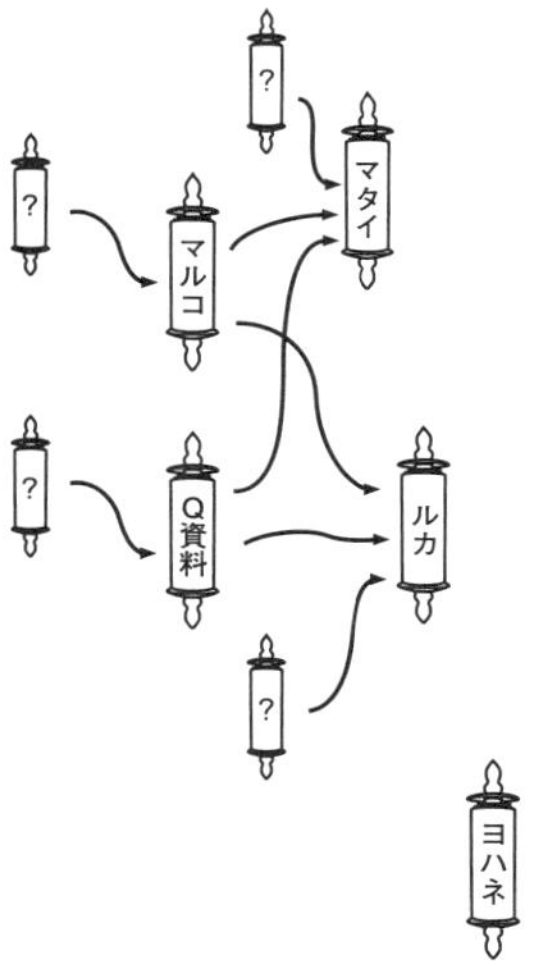

福音書の系譜関係

これらの福音書がどのような順番で、どのくらいの時期に書かれたかは、厳密な考証によってわかっています。最も古いのがマルコで、マタイとルカは、マルコの他に、今は失われたQ資料（Qはドイツ語で資料を意味する「Quelle」から来ています）と呼ばれる文書を参照しているらしい。

いずれにせよ、新約聖書は、最も肝心な事件について、四つの違った証言があるような感じで始まっているわけですね。これはちょっと奇妙じゃないですか？

たとえばイスラム教では、ムハンマドがアッラーから受け取った言葉がクルアーン（コーラン）ですが、クルアーンに少しずつ違った四つのヴァージョンなんかがあったらたいへんなわけです。クルアーンは絶対に一つしかない。さらに、イスラム法では、クルアーンの次に、ムハンマドが言ったり行なったりしたこと、つまりスンナ（伝承）が重要な法源になっていて、イスラム教徒は、この内容を厳密に一義的に特定しようとする。スンナを編纂した書物はハディースと呼ばれ、多くの法学者によって編まれてきました。さすがに、クルアーンと違って、ハディースについては、ときに見解の相違が出ることがあるわけですが、そうなると、もう異なるイスラム教徒のセクトになってしまう。ひとりのイスラム教徒が、矛盾した内容の二つのハディースを信じるなんてありえないのです。

ところが、キリスト教では、イエスの言行録であるところの福音書が四つもあって、互いに相違や矛盾があるのに、どれも正典として認められている。「これでいいのか？」と心配してしまうのです。先ほどのべたように、キリスト教にとっては、イエスについての出来事にコミットすることが信仰の根幹になっているのですから。どうして一つのテキストに収斂《しゅうれん》させないで、四つのまま残っているのでしょう？

橋爪　これでいいのだと思います。

なぜ福音書がいくつもあるのかというと、福音書は、預言書（預言者の預言を記録した書物）ではないからです。預言書（たとえば、『イザヤ書』）は、預言者本人が書いた（ということになっている）ので、二冊あったりしない。預言者ひとりに、一冊ずつです。これに対して、イエスは、自分で書物を書かなかった。最後は十字架で死んでしまうという話ですから、本人がそれを記録するわけにはいかない。別人がそれを記録し、証言するというかたちにならざるをえない。

このように福音書は、イエス・キリストについて証言する書物なのです。その作者は、マルコ、マタイ、ルカ、ヨハネ。ほんとうに彼らが著者なのか、議論がありますが、いずれにせよ、イエスと会ったことのある人物か、その周辺の人物。まあ、ふつうの人間が、初期教会の伝承をもとに、ギリシア語で編集したと考えられる。証言は、複数あったほうがよいと言えるわけで、結果的に、四つの福音書が新約聖書に残った。

もう少し補足すると、キリスト教は、福音書によって成立したのじゃないんです。福音書は、キリスト教が成立したあと、聖書に選ばれた。では、いつキリスト教が成立したかというと、それは、パウロの書簡によってである。パウロが書簡を書いたのは、福音書の成立時期よりも古いんです。福音書を見ないで、パウロは書簡を書いている。そのときもう、イエスはキリストであり神の子だと確信していた。パウロが、イエスの十字架の受難を意味づける教理を考えたので、ユダヤ教の枠におさまらない、キリスト教という宗教が成立した。それが、福音書の編纂をうながしたという順番なのです。

福音書は、あちこちの教会でばらばらに伝わっていた、イエスの言動についての伝承をまとめたものです。どの教会も、自分たちの伝承は大事だから、それがぜひ聖書に入ってほしいと思ったでしょう。で、それらをひとつの書物にまとめるのはむずかしかった。そこで、四つの福音書と、パウロの考えた教理とを軸に、キリスト教が成立することになった。

大澤　なるほどね。新約聖書というと福音書のイメージが強いかもしれませんが、言うまでもなく新約聖書の重大な部分はパウロの書簡です。中にはほんとうにパウロが書いたものと、そう言い伝えられているだけのものがあるかもしれませんが、確実なことはイエス自身は何も書いていない。新約聖書の最も中心的な筆者はパウロです。ですから、パウロという人物については、キリスト教の成立を考えるうえで絶対に無視できないことなので、あとで突っ込んでお聞きします。その前にもう少し歴史的イエスのことにこだわっておきたい。

おっしゃるように、福音書というのは神の言葉ではありません。いちおう著者の固有名詞が各テキストにはついていますが、ルカとかマルコといった名前は、象徴的なものにすぎなくて、じつは共作のようなものかもしれない。いずれにしても人間が、目撃体験や伝聞をもとに書いたものですよね。預言書のように、神の言葉を直接に受けとって写したものではない。だから、証言者であるところの福音書記者の視点や解釈の相違を反映して、どうしても互いの間に揺れや相違が出てしまいます。その点、クルアーンのようにアッラーの言ったことをそのまま筆写したというのとは非常に違っています。

ここで、やっぱりぼくがおもしろいなと思うのは、さっき言ったように、キリスト教における真理というのは、相対性理論とアインシュタインのようには分けられないということです。つまりイエス・キリストがそこで伝道して、十字架の上で死んで、そして復活したということの一連の出来事そのものがもうすでに真理である、ということになっている。ただその一番肝心なことについて、複数の福音書という形で微妙な不確定性があって、そういう立場の違いをはじめから認めているようなところが、キリスト教の奥深さだと思うんですね。

3　奇蹟の真相

大澤　ぼくが想像するに、福音書に書いてあることは、互いに少しずつ違っていても、おおむね事実だと思います。おそらくイエスは歴史的な人物で、福音書の記述のもとになる出来事が現にあって、いろんなことをやって、いろんなことをしゃべった。彼はきっと、相当ユダヤ教に精通している人で、頭も良くて、すごく独特のアイデアがあったんでしょう。

さて、こうしたことを認めたうえで、多くの人がなお疑問に思うのは、福音書に記されているさまざまな奇蹟についてですね。

奇蹟中の奇蹟は復活ですけど、それは非常に重要なのであとで論じるとして、それ以外にもたくさん出てきますよね。おそらく一番多いのは、病気治しの奇蹟。これに関しては、すべて文字通りに受け取れるかどうかは別にして、かなりの部分で実際に相当することがあったんじゃないかと思います。イエスにはやっぱり、ある種のカリスマ的な力があったでしょうから、現にイエスに接したことによって、病を患っていた者がある程度元気になったりとか、そういう治療的な効果はあったと想像できる。

しかし、その一方で、ちょっと首をひねりたくなるような奇蹟も少なくありません。先ほど言った、ほんのわずかなパンや魚で五千人の人たちをたらふく食べさせてやったとか、水の上を歩き回ったとか、死者をよみがえらせたとか。ぼくにとっては話半分で済むことですが、キリスト教を信じている人は、こういう荒唐無稽な話について、どういうスタンスを取っているのですか？

橋爪　まず、歴史的人物としてのイエスと、福音書の関係について。

歴史的人物としてのイエスがいたからこそ、福音書が書かれた。のだけれども、福音書に書いてある通りのイエスが歴史的イエスではない、と思う。では、福音書のうち、どの部分が歴史的人物としてのイエスなのか。

福音書は四つあるので、その共通部分を探っていくというのを、まずやってみるべきです。でも、共通部分にも、信仰の立場から余分な尾ひれが付け加わっているかもしれないので、さらに注意ぶかくみていかなければならない。そうした余分を全部はぎ取ったあとに、歴史的人物としてのイエスが浮かび上がってくる。

実在の、ナザレのイエスは、どういう人物だったかというと、まず、ベツレヘムでは生まれていない。四つの福音書のうち「ベツレヘムで生まれた」としているのは、マタイによる福音書とルカによる福音書です。ベツレヘムは、十二部族のうちユダ族に割り当てられた地域にある、ダビデと縁が深い都市なんです。救世主がベツレヘムから現れると、『ミカ書』(5章1節)にも書いてある。そこで、イエスはどうしてもベツレヘムから生まれなければならないと、誰かが書き加えたと思う。ナザレ出身のイエスが、遠く離れた南のベツレヘムで生まれるのは、不自然です。

同じ理由で、マタイによる福音書の冒頭の、イエスの系図も信用できない。最初にこんなわけのわからない系図があるので、聖書を読もうとして挫折する人が多いわけですが、これは要するに、イエスがダビデ王の系譜に属することを言っている。イエスの父、大工のヨセフは、どうしてもダビデ王の子孫でなければならないわけです。これも、『サムエル記下』(22章51節)の預言を反映している。

イエスがキリスト(ヘブライ語で、メシア)だとは、旧約聖書のあちこち(たとえば、『イザヤ書』)にあるメシア預言が、実現したと信じるという意味です。それに合うように、イエスの言動が「脚色」された可能性がある。そういう部分は、割り引いて考えなければなりません。

旧約聖書でメシアが預言されているので、民衆がメシアを待望していたことは、イエス自身も熟知していたはずです。なので、それを意識して、自分の言動をそれになぞらえた可能性もある。それなら、旧約の預言に合っているところも、イエスの実際の言動だったとも考えられる。でも私は、イエスは、そんな小細工をする人ではなかったろうと思います。それより、もっと自由に、民衆の期待の上を行くようにふるまったと思います。ならば、旧約の預言に合っている部分は、誰かが書き加えた可能性が高い。

それから、奇蹟。大澤さんの言うように、奇蹟にも、ありえない荒唐無稽なものと、まあありそうなものとがある。いちばんありえないのは、「復活」ですね。いちばん古いマルコ福音書は、復活の記述がなく、墓がからっぽだったというところで、唐突に終わっています。ほかの福音書は、あとのものほど、復活の記述が具体的で詳細になっていく。これからみると、復活の奇蹟は、イエスが死んでだいぶ経ってから、いまのようなかたちで信じられるようになったと思われます。

死者をよみがえらせた、イエスが水の上を歩いた、といった奇蹟も、実際の出来事とは信じにくい。

あとの奇蹟は、ありえたかもしれない。たとえば、「嵐よ、静まれ」と言ったら静まったというが、嵐はしばらくすれば静まるでしょう。

大澤　そうですね。その可能性はありますよね。「静まれ」と言って十分に時間が経てば、嵐は実際に静まる。

橋爪　はい。イエスは、船の上で平然としていた。

死者がよみがえる奇蹟は、旧約聖書にも出てきます（『列王記上』17章22節など）。旧約の預言者が死者をよみがえらせたのなら、イエス・キリストにできないはずはない。というわけで、付け加えられたのではないだろうか。

それから、わずかな食糧で大勢を食べさせた奇蹟。これも、旧約聖書にあるタイプの奇蹟です（『列王記下』4章42～44節）。ここでは、百人を満腹させたと、新約聖書にくらべてささやかです。

社会学的に言えば、この奇蹟は、実際に起こりうることだと思う。自分の村を出て遠くまで出かけ、イエスの話を聞きに行こうという人々は、道中お腹が空いてはいけないから、必ず食糧をもっていくでしょう。で、それを最初は隠していた。下手に出すと、食べさせてくれ、とみんなに取られてなくなってしまうからです。食事の時間になると、イエスがうまく、みんなで分け合うように誘導した。それで、みんな食べられた、というわけです。パン屑が籠にあふれても、おかしくない。

大澤　パン屑のほうが、もとのパンより多くなっているんですもんね。

橋爪　そうそう。人数や余った食べ物の量は、大げさに書いてあるが、実際にあったことだと考えてもおかしくはない。

それから、病気を癒す。心身反応みたいなものは、当時はいまよりも強く働いたろうから、それが大げさに伝わったと考えると、福音書が書いているような奇蹟は、そんなに荒唐無稽な話ではない。

総じて言うなら、イエスの奇蹟は、奇蹟としてはささやかなものです。神の子なら、ヤハウェと同じ奇蹟を起こしてもいいはずなのに、イエスのやることはとても人間サイズである。福音書の伝えることとは、実際のイエスとあんまり違っていないと思う。

キリスト教の信仰にとっては、イエスがキリスト（メシア）であり、神の子であることが核心で、奇蹟はそれを証明するもの。重要だけれど、枝葉にすぎない。仮に奇蹟がなくても、福音書は成立するのです、イエスが神の言葉を語っている限り。奇蹟を信じにくい人は、無理に信じなくてもよいように、福音書は書いてある。

大澤　第1部でもちょっと話題になりましたが、考えてみれば奇蹟というのは、本当に信じるべきもののための傍証みたいなものですよね。この場合、イエスがメシアとか神の子であるということを信じればいいわけですけれども、ただ「信じろ」と言われても「ちょっとな」と思うので、少しばかりいろんなことをやってみせる。すると人びとは、「まあこれだけのことが起こるなら、メシアである蓋然性はきわめて高い」と感じるわけです。

だから、奇蹟自体は偶有的な、付録みたいなものということですね。奇蹟の中には、病気の治癒活動のように、それ自体がメシアとしての救済の活動であるようなものも含まれていますが、嵐を静めたり、水上を歩いたりというのは、メシアであることを印象づける、間接証拠のようなものです。奇蹟それ自体を超能力として信じるかどうかは、橋爪さんのおっしゃるとおり、二次的なことでしょうね。

4 イエスは神なのか、人なのか

大澤 さて、外堀を埋めたうえで、いよいよ一番重要な問いに入りたいと思います。それはストレートに言えば、キリスト教にとってイエス・キリストとは何か、という問いです。イエスは、「キリスト（メシア）」だと言われます。あるいは「神の子」なんて呼ばれることもある。そのように呼ばれるイエスは、結局、何なの？ ということですね。

たとえば、日本の神話では、イザナミとイザナギという神が出てきて、たくさん子どもを生みます。天照大神は、イザナギから生まれたから「神の子」です。神の子もまた神だから、神はたくさんいることになる。ならば、イエスは「神の子」だと言われるとき、その「神の子」をこれと同じ意味で解していいのか。アマテラスやスサノオがイザナギの子であるのと同じように、イエス・キリストはヤハウェの子なのか。しかし、そうすると、二人の神がいることになってしまって、一神教の大原則に反することになります。

いったいイエスは人なのか、神なのか。

もちろん、実証科学的な立場からすると、イエスはさっきから歴史的人物だと言っているわけだから、人と言えば人なんです。しかし、信仰の論理からすると、ただの預言者の一人と片付けるわけにもいかないように思います。かといって、神だとすると、いま言ったように、神が二人になってまずいような感じもする。

これは実際、キリスト教の教義や神学の中でもいろんな説があるところですが、核中の核の問いだと思います。この問いに対しては、どういうふうに説明するのが正解ということになるんでしょうか？

橋爪　マトリョーシカという人形があるでしょう。ロシアでお土産に売っている。

大澤　入れ子になっているやつですね。

橋爪　そう。いちばん外側のものを開けると、ひと回り小さいのが内側に入っていて、またもうひと回り小さいのがその中に入っていて、……と、いくつも入れ子になっている。

イエス・キリストも、そういうふうになっていると思う。私たちが知っているイエス・キリストは、いちばん外側の、完成したかたちなんです。それを、順番にさかのぼっていくと、ひと回り小さなかたちが出てきて、だんだん小粒になり、いちばん最後に出てくるのが、歴史的なイエスだと思います。

歴史的なイエスが、どういう順番で、ひと回りずつ大きくなっていったか。その順番をたどってみます。

まず、ただの人間イエスがいます。彼についてほぼ確実なことは、ナザレで生まれた。父親は大工のヨセフで、母親はマリア。きょうだいがいた。自分も大工だった。地元のシナゴーグに通い、旧約聖書をよく勉強した。パリサイ派の勉強法で、モーセの律法を学んだと思われる。結婚もしていただろうが、よくわからない。三十歳前にナザレを出て、洗礼者ヨハネの教団に加わった。そのあと、何人か（あとで十二人の弟子に加わる）を連れて教団を離れ、独自の活動を始めた。ガリラヤ地方や、パレスチナの各地を訪れて説教をし、預言者のように行動した。あちこちで、パリサイ派やサドカイ派とトラブルを起こした。そのあと、エルサレムに行って、逮捕され、裁判を受け、死刑になった。こういう人物です。

イエスが語った教えの内容は、最初は洗礼者ヨハネとよく似ていて、「悔い改めよ、裁きの日は近づいた」というものだった。当時、「義の教師」という人びとがいて、その教えも踏まえていたと思われる。「汝の隣人を愛せ」も、イエス自身の言葉ではなく、旧約聖書からとられています（『レビ記』19章18節）。このほか、律法のこれまでの解釈とは異なる、イエス独自の教えも多くあります。「上着を盗られたら、下着も与えろ」とか、「右の頬を打たれたら、左の頬を出せ」とか。さまざまなたとえを巧妙に使って、ユニークに教えを説いている部分は、いちばんイエスらしい部分です。

以上が、いちばん芯になる歴史的イエスだとすると、その外側に、いろいろ尾ひれがついている。

まず、処女懐胎。

預言者などが高齢や不妊の女性から特別の生まれ方をするというのは、旧約聖書ではいくつも例がある（『士師記』13章など）。それがふくらんで、イエスに投影された。福音書のなかで最も古いマルコ福音書は、イエスの誕生について何ものべておらず、突然青年期から始まります。特別な生まれ方をしたという伝承が、あとから付加されたと考えられる。

「義の教師」なら、人間の活動であるが、預言者なら、神の働きである。そこで、特別な生まれ方をしても、おかしくない。けれども、預言者なら、神ではないでしょ？

大澤　そうですね。

橋爪　イエスは、預言者として、活動した。預言者だと思った人が大勢いた。だから、「エリヤの再来」と言われたのです。ちなみに、預言者エリヤは、生きたまま天に上げられたと信じられたので（『列王記下』2章11節）、再来してもおかしくない。

さて、預言者よりも、もうひと回り大きい存在が、メシア（救世主）です。メシアはへブライ語で、ギリシア語ではそれをキリストと訳した。イエス・キリストとは、救世主であるイエス、という意味です。

メシアは、救世主なので、世の中をつくりかえる。ただ神の言葉を伝えるだけの預言者とは、違います。マルクス、レーニンのような感じで、革命家なわけです。

メシア待望論が、当時のユダヤの民衆のあいだに拡がっていた。イエスこそ、そのメシアだ。イエス・キリストは、ユダヤ教の観点からの呼び方である。これなら、まだユダヤ教の範囲内だと言えます。

ところが、メシア（キリスト）だと思っていたイエスが、あっさり処刑されて、死んでしまった。天変地異も起こらず、神殿も崩れなかった。イエスに期待して従ってきた民衆はもちろん、十二人の弟子たちも失望して、ちりぢりになってしまった。イエスがメシアだと信じられていただけで、死後復活すると想定されていなかったからです。

イエスの復活。これは、イエスをただのメシア（キリスト）から、もうひと回り大きくする、新たな要素です。

死者の復活も、ユダヤ教にある考え方です。初期のユダヤ教に、復活の考え方はなかったが、イエスの時代までに、死者の復活を信じるグループが優勢になっていた。福音書のなかに、復活をめぐって、それを信じるパリサイ派と、信じないサドカイ派が論争する話が出てきます。イエス自身は、復活を信じる立場だったと思う。

ここでいう復活とは、「たまたま死者がよみがえる」という話ではなく、裁きの日にヤハウェの恩恵によって、大勢の死者たちが復活する、という意味です。

イエスの復活について、福音書の記述をまとめましょう。墓がからっぽだったので、イエスが復活したのではという話になった。この話を最初に広めたのは、十二人の弟子たちでなく、マグダラのマリアをはじめとする女たちだった。これは、当時の人びとにもにわかに信じがたいことだったので、弟子たちが死体を運び出したのだろう、みたいな疑いの声もあったようです。最終的には、墓のそばで驚く女たちに天使が現れて、「イエスは復活した、ここにはいない、ガリラヤにいる」、と告げたことになった。イエスはガリラヤで、弟子たちのもとに現れ、そのあと天に昇った、と信じられるようになります。

では、メシアとして人びとを救うためにやってきたはずのイエスが、処刑され、復活して天に昇ったのは、どのような意味があるのか。

ここで現れるのが、イエス・キリストは「神の子」だ、という考え方です。神の子イエス・キリストは、またもうひと回り大きな存在になった。これはもう、ユダヤ教の考え方ではない。

イエス・キリストは「神の子」だとする考え方を、確立したのはパウロです。

パウロは、小アジア（今のトルコ）のタルソで生まれたユダヤ教徒で、ギリシア語もうまく、ローマの市民権をもっていた。キリスト教徒迫害の急先鋒だったが、あるとき復活したイエスを見て「回心」し、熱烈なキリスト教徒として活動を開始。各地で宣教を続け、ローマで殉教した。その間、ローマ人への手紙、コリント人への手紙など多くの書簡を書き、それが新約聖書に収められています。

ようするに、「神の子」は、「イエス・キリスト」と同じ意味ではなくて、もう一歩踏み込んだ考え方なのです。

大澤　イエス・キリストだったら救世主という意味ですよね。神の子だったら、一段神に近づいていますよね。

橋爪　ええ。全然違う意味なのです。でも、ふつうは区別しないでしょう。ひとまとまりに受け取られている。でも、別々のことなんです。それから、処女懐胎の話は、もう少し古い層に属する、ありがちな奇蹟の話だと思う。

大澤　そうですね。処女懐胎の話は、その人がいかに特別かということを印象付けるタイプの話だと思います。

おっしゃるように、イエス・キリストを神というか、神の子というふうに見たことで、やっぱりユダヤ教と明らかな一線を画したんでしょうね。だからこそ、キリスト教というものがその後の歴史に独特の跡を残していったので、マトリョーシカの例だと、一番外の部分も含めて考えていかないと、「ふしぎなキリスト教」の核の部分が理解できないと思うんですね。

5 「人の子」の意味

橋爪 いまの話にちょっと補足していいかな。

福音書をよく読むと、イエスを「神の子」だと明言していないんです。ヨハネ福音書は明言しているが、これは後から書かれたので、ちょっと違う。マルコ、マタイ、ルカの三つの福音書（共観福音書）は、イエスを「人の子」と言っていて、これはメシアのことなんです。

福音書は、キリスト教がいまのかたちに完成する以前に書かれているので、イエスが「神の子」であるかどうかに関して、及び腰である。イエスはメシアだ、キリストだ、という立場なんです。これを、パウロの解釈で読むのが、キリスト教なのです。

大澤 そうですね。

教義の話に入る準備として、言葉の整理をしておきたいのですが、たしかに福音書は、おもに「人の子」という言葉を使っています。共観福音書ではごくわずかしか「神の子」という語は用いられていませんし、それらにしても、他人がそれほど深い思想的な意味も込めずに、思わずイエスをそう呼ぶ場面で出てくるだけです（百人隊長が十字架のイエスをそう呼んだり、悪魔がイエスを挑発したりする場面）。

唯一「神の子」の概念を明言しているヨハネ福音書は、他の福音書とくらべてアイデアがはっきりしていますよね。著者の思想的立場のようなものがわりとよく出ている。つまり、事実についての証言というより、どこか教訓的に著者の思想を表現しているところがあります。ですから、ヨハネ福音書に「神の子」という語が使われているからといって、イエスの生前に、そういう語が使われていたことの証拠としては弱い。

イエス自身はもちろん、自分のことを「神の子」だとはっきり言うわけではないし、自分が「キリスト」であるとすらも言っていない。ただ、福音書によれば、イエスは、自分のことを三人称的に指すときに、「人の子がどうのこうの」という言い方をしている。つまり、イエスは、自分を指示するのに「人の子」という言葉をわりに好んで使っていたような気がします。

それから、福音書によれば、人びとが「あれはメシアだ」「あれはダビデの末裔だ」と噂していて、イエスを救世主に類するものに関係づけようとしており、まあイエス自身もみんながそう言っていることはわかっている。つまり、イエスは、人びとが自分を「キリスト」と見ていることを知っています。

たしかイエスはペテロとやり取りしていますね。弟子たちに「お前たちは俺のことをどう思うか」と尋ねたら、ペテロが「あなたはメシア、生ける神の子」と答える。これに対してイエスは、否定も肯定もしていないんです。強いて言えば消極的な肯定という感じで、「そのことはお前の胸にしまっておけ」と告げている。だいたい以上のような理解でよろしいですか?

橋爪 はい。それはマタイ福音書（16章16節）に書いてありますね。

大澤 だから、福音書の書き方は、ややあいまいなんですよね。

では、「人の子」という独特な呼び名は何を意味するのか?　一般には、「人の子」というのは救世主（メシア）の意味であると解釈されているようですが、これはたしか旧約聖書に根拠がある表現ですよね?

橋爪 『エゼキエル書』（2章1節）とか『ダニエル書』（7章13節）とか、あちこちにありますね。バビロン捕囚の前後からメシアという言い方が出てくるのですが、ユダヤ民族の苦境をひっくり返して救ってくれる人物が、ヤハウェによって遣わされるという信仰が、どこからともなく起こってきたわけです。

メシアはまず、軍事的リーダー、軍司令官なんです。もっと端的に言えば、どこかの国の王が、解放者としてやってくる。エチオピアの王やペルシャの王が、メシアではないかと考えられた。実際、ペルシャ王キュロスは、新バビロニアを滅ぼして、捕囚のユダヤ人を解放してくれた。

それ以来、ことあるごとにメシアがやって来るのではと言われるようになって、メシア待望論が広まるようになります。イエスもそういう時代を生きていた。そのメシアの別名が「人の子」です。

大澤　そうですね。最古の黙示文学とも言われる『ダニエル書』には、「人の子のようなものが雲の上に乗って救いに来る」という記述があります（7章13節）。『ダニエル書』によれば、まず、四頭の獣が順次、世界を支配することになっている。四頭の獣は、古代オリエントやヘレニズムの悪い王朝の比喩だと思われます。しかし、終末のときには、「獣」ではなく、人間の姿をもった者がやってきて、世界を永遠に支配する。こういうテキストを前提にして、「人の子」と言えばメシアのことだなというのは、当時のユダヤ教に精通している人たちには通じたんだと思うんですね。

それから、もうひとつのとらえ方として、聖書学の田川建三さんが次のようなことを書いていました。「人の子」という表現は、イエスの時代の口語、つまりアラム語に差し戻してみるときわめて自然な語彙だった。「○○の子」という言いまわしはよく使われていて、「○○」という類の一員、「○○」の集合の要素という意味にすぎない、と。ですから、田川説によれば、「人の子」というのは、「人間の中の一人」「一人の人間」というごく当たり前の意味しかないことになる。

しかし、もちろんイエスは旧約聖書に精通しているわけだから、「人の子」と言えば、旧約聖書に由来する救世主という含みももちうることがわかっていたはずです。とすると、イエスは、その二つの意味をわざとアンビバレントに重ねていたんじゃないか、と考えることもできます。

イエスは「キリスト」でも「ダビデの子」でも「神の子」でもなく、「人の子」を自称として好んで使った。なぜ「人の子」という表現が、彼には、そんなに好ましく思えたのだろうか。「人の子」には、一方では、宗教的な重みのないごく平凡な意味と、他方では、ユダヤ教の伝統からくる救世主というコノテーション（含み）との二重性がある。イエスは、その二重性にあえて依拠しているのではないか、などと思ってしまいます。

6 イエスは何の罪で処刑されたか

大澤 誰でも知っているように、イエスは十字架にかけられて死刑になり、そして三日後に復活しました。単純な歴史的事実として、イエスが処刑された罪状は何だったのでしょう？　福音書はキリストの立場で書かれているからかもしれないけれど、イエスにどんな重い罪があったのか――もちろんそれは冤罪だったわけですが――、よくわかりません。

福音書によれば、イエスが処刑されるその日、一人の囚人が恩赦によって釈放されることになっていた。そのとき、バラバという有名な犯罪者が捕らえられていた。ローマ総督ポンテオ・ピラトは、ユダヤ人の民衆に、イエスかバラバのどちらを釈放したいかを問う。ピラトは、明らかに、イエスのほうを釈放したいという気持ちをもっている。しかし、ユダヤ人たちは、バラバを釈放して、イエスを処刑せよ、と叫ぶ。そこで、ローマ総督のピラトは、しぶしぶ、これに従うわけです。それで、バラバという人物は、イエスの代わりに救われた人として歴史に名を残すことになりました。

こうしてイエスは処刑されたわけですが、当時の政治状況は少々複雑で、いま紹介したように、ユダヤ人にどのくらい「主権」があったのか定かではないところがあります。つまり、ユダヤ人が処刑してくれと言って、処刑自体はローマがやるというような、わかりにくい状況になっているんですね。十字架刑というのは、ローマ式の処刑法です。

宗教的・寓話的な解釈はさておき、歴史的事実として、いったいこの人はなぜ処刑されたのか。これはどう考えるのが一般的なんですか?

橋爪　当時、ユダヤはローマの属州で、限定的な自治権しかなかった。ローマの後ろ楯でこの地を統治していたヘロデ大王の死後、三人の息子とローマとで国土を四分割した。洗礼者ヨハネを捕らえて殺害したヘロデ・アンティパスは、その一人です。

大澤　似たような名前の人がいっぱい出てくるので、こんがらがっちゃいますよね。

橋爪　そうですね。このヘロデ王家は、イドメア人といって、ユダヤ人ではなかった。しかもギリシアかぶれで、ヘレニズム文化がいいと思っていて、ユダヤ人と折り合いが悪かった。

それと別に、統治の実権は、最高法院(サンヘドリン)が握っていた。そこに、パリサイ派やサドカイ派の指導的立場の人びとが集まっていた。これは、行政機関であり、裁判機関でもあった。イエスはこの機関によって逮捕され、裁かれたのです。

さらに、ローマの総督がいて、これが死刑執行権を持っていた。いまの日本の法務大臣みたいな立場です。死刑判決を下すのは裁判所ですけど、死刑の執行を命ずるのは法務大臣じゃないですか。というわけで、判決権と執行権とが分かれていた。ですから、イエスは最高法院で、死刑が宣告され、刑の執行のために、総督ポンテオ・ピラトのもとに送られた。ピラトは、ちょうど過越《すぎこし》の祭りの時期だったから、慣例によって、罪人の一人を恩赦できた。そこでイエスを釈放しようとしたけれど、ユダヤの民衆が「バラバを、バラバを」と叫んだのでバラバが恩赦になった。イエスは、ほかの二人の罪人と一緒に、ゴルゴタの丘で、ローマ式の十字架の刑で死刑になった。こうしてイエスが死亡したのが、金曜日の午後だった、ということになっています。

さて、罪状は、「神を冒瀆した」罪です。

さっき、「人の子」が多義的だという話が出ました。「人の子」というと、メシアのことか、人間という意味か、あいまいだ。だからそう自称しただけでは、有罪にしにくい。この時代、預言者はだいたい殺されているわけです。裁判になった場合のことも考えて、「人の子」と言ったのかもしれない。

イエスは自分が危険な状態にあることを、よくわかっていたはずです。自分の先輩格の洗礼者ヨハネも、ひと足先に非業の最期を遂げている。だから、ある段階から死を覚悟して行動していると思います。

大澤　何度も自分の死について予言的なことを言っていますね。この死の予感については、あとで付け足したり、誇張したりした部分もあるかもしれないけれど、やはり、イエスは実際に、自分が殺されるかもしれないという予感をもっていたでしょう。イエスは、自分がユダヤ人の主流派にものすごい敵意を持たれていて、殺される可能性が非常に高いということは意識していたはずですよね。

橋爪　はい。そう思っていなければ嘘ですね。

大澤　ユダヤ教のコンテクストで死刑になるわけですから、罪状は、やはり、神を冒瀆することなんですね。

神への最高度の冒瀆によって死刑になるとしたら、最大の冒瀆は何か。たとえば「自分は神だ」などと言ってしまうことです。そこまでいかなくても、それに類することを言って、神の名をみだりに唱えれば冒瀆でしょう。イエスは、そういうことの危険性をよくわきまえていたと思います。

福音書を見ると、イエスはとにかく自分のことを「神の子」とは言っていないし、メシアであるかどうかについてもあいまいな言い回ししかしていない。だから、イエスが、はっきり「これが冒瀆」と言えるようなことをしたかどうかは、微妙ですね。少なくとも、みんなが彼のことを神の子か、あるいは救世主のように扱っているという状況があって、それをイエスが積極的には拒否しなかったことを、厳しく不利に解釈されて、神を冒瀆したと見なされ、死刑判決を受けた。これが、事実に近いかなと思うんです。

ところで、そのユダヤ人のサンヘドリンというのは、どんなものでしょうか。イメージからすると議会と裁判所の機能を備えたような、そんな組織に思えますが、強いて言うとギリシアの民会に似ていますかね？

橋爪　議会はかつて、裁判権を持っている場合が多かったのです。イエスは、モーセの律法に違反する重大刑事犯なので、議会が逮捕して裁判にかけた。王もいたけれど、宗教法に関することなので、関与しなかったと思う。

裁判の様子は、福音書ごとに、微妙に違っています。その場にいた人間は限られていたはずなので、正確なところが福音書の著者に伝わったか疑問です。ともかく、裁判官（大祭司）が証拠調べをしようと、イエスを尋問したところ、イエスが神を冒瀆する内容を答えたというので、それ以上の証拠調べは打ち切りになり、即座に死刑の判決が下された、ということらしい。

大澤　たしかに、その証拠調べの部分は、福音書ごとに微妙に違いますね。似てはいますが、よく読むと違っている。ルカ福音書では、「お前は神の子か」と問われて、イエスは、「お前たちがそう言っているのだ」と答えていて、自分で、「そうだ、俺は神の子だ」とはっきり言っているわけではない。だから、これをもって冒瀆と見なして、死刑判決というのは、かぎりなく微妙な判決である気がします。福音書を読んでいても、ローマ総督ピラト自身も「これはほんとうに死刑でいいのか？」という迷いをもっている。このように、客観的に見れば罪状の認定がかなり微妙なんだけど、ユダヤ人としては強い憤りをもってイエスの死刑を望んだというように読めますね。

7 「神の子」というアイデアはどこから来たか

大澤 最終的には、パウロによる解釈が定着して、イエスは「神の子」だということになったわけですが、ところで、神の子とは何なのか。これはキリスト教理解の大きなポイントだと思います。

まず、「神の子」は何でないか、ということから、逆に、神の子の本質に迫りたい。たとえば、日本人が一番陥りがちな勘違いとして、「イエス・キリストはキリスト教の教祖です」というような解釈はありえると思うんです。たとえば、麻原彰晃がオウム真理教の教祖だったというのと同じような意味で、「イエス・キリストはキリスト教の教祖です」と言ったとしたら、それは正しい言い方になるのかどうか。神の子とは、結局、教祖ということであると言う人がいたら、それは正しいのか。そういう質問だったらいかがですか？

橋爪　「教祖」は、通俗的な表現で、正確な概念とは言いにくいんだけど、まあ簡単に言うと、その人がなにかを自分で考えて主張し始めたので、人びとがそれを信じるようになった。それはあくまでもその人自身のアイデアで、どこかから借りてきたものではない、といったことかと思います。

キリスト教は、そういうふうになっていないと思うな。イエスは「解釈者」だけれど、自分のアイデアで何かを作り出している、という意識は稀薄だったんじゃないか。イエスは、旧約聖書を「解釈」しているんです。歴史的存在としてのイエスはそうだと思う。旧約聖書を前提にしなければ、イエスの言っていることは理解できない。

そのため、新約聖書は、旧約聖書を前提にします。キリスト教は、ユダヤ教と対立しているのに、ユダヤ教の旧約聖書をひき継いで自分たちの聖書にしているんです。それはイエスの教えがそうなっているから、なんですね。自分のアイデアは旧約聖書の中に全部書いてある。イエスに聞けば、そう答えると思う。

大澤　なるほど、そうでしょうね。

たとえば神の子と言うと、「神に子どもや孫がいるのか？」とどうしても思いたくなりますよね。あるいは、「神のお父さんっているのか？」とか。つまり、神の血縁関係を考えたくなってしまう。しかし、先ほど日本神話との対照でのべたように、それはまったく違うはずです。とすると、神の子とは何なのでしょう？　一神教のスタンスからすると、神の子というもう一人の神を認めるわけにはいかないし、かといって、「神の子」ということは、ただの人とも違うように思えますけど。

橋爪　イエスは、自分が「神の子」だとは、思っていなかったと思う。イエス・キリストが神の子だと決めたのは、パウロです。

パウロはどう考えていたのか。

パウロは、三位一体なんてややこしいことは、これっぽっちも考えていなかった。もっと素朴に考えて、イエスは神の子だという結論に達した。

神の子とは、どういうアイデアかというと、まず、あちこちの国王がそのように主張していた。成り上がりの王が、自分の血筋を誇れない場合、「自分は太陽の子だ」とか「神の子だ」とか主張したんです。それは、パウロも知っていたと思う。だから当時、神の子という考え方がまったくなかったわけではない。

ユダヤ教には、人の子という考え方はあったけれど、神の子という考え方はなかったと思う。パウロはユダヤ人で、もとは敬虔なパリサイ派だった。回心の瞬間まで、ユダヤ教の枠組みの中でものを考えていた。なぜ回心したかというと、イエス・キリストの存在がユダヤ教の枠組みではとらえようにもとらえられない存在だったので、矛盾とストレスが溜まりに溜まって、ついに爆発してしまったのですね。手袋の裏返しみたいなことが起こって、自分の知のシステムが別のシステムに激烈に移行してしまった。その激烈な移行の結果、出てきたのが、イエスは「神の子」だ、というアイデアだと思う。

このアイデアの意味するところを、整理してみましょう。

まずイエスは、単独で存在しているのではない。イエス自身が、神によって直接生み出されている。それは、イエスが生まれた最初から、そのように計画されていた。そうすると、処女懐胎で生まれたりすると、都合がいい。

預言者はみな、生まれたあとで、途中から預言者になるんです。

大澤　そうですね。

橋爪　預言者のなかには、神に文句を言って、「預言者になるのは嫌です」という者もいるけれど、神は許してくれなくて、「いや、お前が母の胎の中にいたときから預言者に定めていたんだ」とか言いますけども、それは言葉のあやで、実際には、青年だったり中年だったり、とにかく人生の途中で預言者に選ばれる。あるとき、神の言葉が聞こえてくるという現象が起こる。これが預言者。

イエス・キリストはそういうふうに理解されない。「あるとき、神の言葉が聞こえてきました」ではなく、初めから、神の計画によって生まれた特別な存在、と考えられることになる。預言者ではないんですね。

ではイエスの役目は何かというと、人びとに、神の言葉をじかにのべることである。預言者と似ているけれど、預言者は聞いたことを話すでしょう。イエスは聞くのでなしに、自分が話す。ここが違う。自分の頭にあることを、自然に話している。ふるまいは預言者なんだけれども、預言者ではない。そこが、神の子だと考えられる。

で、神の「子」とはどういう意味かというと、親と分離している。イエスはイエスで完結した存在。独立の人格なわけですよ。けれど、この完結した人間存在が百パーセント、神の意思と合致している。つまりそれは、神の意思だとも見なければならない。こういう状態なんですね。

これは、どんな状態かと言うと……遠隔装置とは違う。ラジコンの遠隔操作は、飛行機や自動車が動き回っているけれど、操作レバーがあって、誰かが操作しているんです。操作しているのだから、飛行機や自動車には本人の主体性がない。でも、神の「子」には本人の主体性がある。ここが世にもふしぎな現象なんですけれど、こういう現象を発明した。イエス・キリストは、そう考えるしかない存在なのだというふうに。これがパウロの考えた、「神の子」というものだと思う。

関連して、ひとつ気のついたことを、付け加えておきます。それは、イエスがヤハウェを「父」と呼んでいたから、イエスが神の子と考えられるようになったのではないか、ということです。

旧約聖書には、血縁関係がなくても、目上の人間や尊敬する師を、「わが父」と呼ぶ例がある。たとえば、預言者エリヤが天に上げられようとすると、エリシャは「わが父、わが父」と叫んでいる（『列王記下』2章12節）。エリヤはむろん、エリヤの子どもではありません。尊敬して、そう呼んでいる。

ここから先は、想像ですが、イエスはこの意味でヤハウェに「わが父」と呼びかけたのではなかろうか。それが弟子たちを通じて、多くの人びとに伝わった。そして、ヤハウェが「わが父」ならば、イエスはヤハウェの「子」である、という考えが出てきたのではないか、と考えてみることもできるかもしれない。

大澤　なるほどね。ちなみに、三位一体というのは後で出てきたひとつの解釈というか、教義の体系化の中で出てきたアイデアですね。聖書に書いてあるわけではないですが、キリスト教の理解には不可欠なので、第3部であらためて議論させてください。

8　イエスの活動はユダヤ教の革新だった

大澤　パウロも、イエスに直接従っていた使徒たちも、あるいはイエスの言動に衝撃を受けた使徒以外の人たちも、おそらく「これは預言者とはちょっと違うな」という印象をもったと思います。「預言者に似ているけれど、預言者とは違う」と。

預言者は、神から言葉をもらって語るわけですね。しかし、イエスの場合には、神から聞いた、神から言葉を託された、という形式でしゃべるわけではない。自分の言葉でしゃべる。はっきり言えば、自分自身が神のようにしゃべっている。そういうところに圧倒的な特徴があると思うのです。

聖書に、イエスは「権威ある者のように教えたので人びとが驚いた」とありますね（マルコ1章22節）。この「権威ある者のように」というのは、イエスが神のように語った、という意味だと思うのですが、いかがでしょうか？　ふつうの預言者の場合には、権威は、彼の外部の神にあるわけですが、イエスは、まるで自分自身に権威があるかのように教えたのだ、と。

橋爪　いや、「権威ある者」とは、パリサイ派の律法学者のようにではなく、預言者のように語った、という意味にとるのがふつうだと思います。もちろん、イエスはふつうの預言者と違うのだとしても。

それでね、当時のユダヤ教のグループには、パリサイ派とサドカイ派のほかに、エッセネ派というのがあって、エッセネ派はイエスと考えが近かったのではないかと言われている。エッセネ派は、福音書にちっとも出てこないんです。エッセネ派は、裁きの日は近いと考えて、人里離れた山の中にこもり、独身主義で祈りの生活を送る、みたいな人びとなんですね。独身主義で祈りの生活を送っていたら、五十年もすればその集団は消滅してしまうわけで、だからいなくなってしまったグループなんです。

大澤 たぶん、イエスはエッセネ派に一番シンパシーを持っていたでしょうね。福音書に出てくるパリサイ派とサドカイ派は、ようはダメな奴らとして描かれているわけです。だから、エッセネ派の名前が一度も出てこないということは、イエスもエッセネ派に近かったのではないか、と想像できます。洗礼者ヨハネもエッセネ派に近い立場かなと思うんですけど。

橋爪 でしょうね。

ただ、洗礼者ヨハネは洗礼を授けて、人びとに教えを広めようとしているじゃないですか？　その点が、山の中にこもるエッセネ派と少し違う。

イエスもその影響か知らないが、静かな場所に隠れるかわりに、人の大勢集まる場所に出かけ、誰にでも教えを伝えているわけです。あまりふつうのエッセネ派らしくない。エッセネ派と、考えが似ているとしても、行動はだいぶ違うんです。で、イエスのグループを、エッセネ派と違うというので、「ナザレ派」と呼ぶ人びともいる。

ナザレ派とはどういう意味かというと、ユダヤ教の内部の運動だという意味です。イエスがやっていたことは、結局、ユダヤ教の革新運動であって、ユダヤ教の預言者のように行動した。弟子たちもそう思っていた。けっしてキリスト教の運動をやっていたのではない、と。

大澤 イエスの運動は、当事者にとっては、「キリスト教」という新しい宗教の開始というより、ユダヤ教の内部の革新運動だったことを理解しておく必要がありますね。

それから、いま、イエスの行動はエッセネ派らしくない、というお話を聞いて、日頃から思っていた軽い疑問を思い出しました。エッセネ派については、砂漠のようなところで禁欲的にやっている修行僧みたいなイメージをもっているんですけど、一方のイエスは、福音書を読むと、しょっちゅう人の家に招かれて、飲み食いししていますよね。

ぼくらはイエスというとすごく痩せていて、極貧生活を送っていたようなイメージをもっています。絵や彫刻でも、だいたいそんなふうに造形されますよね。念のために言っておくと、イエスの生前は、イエスの絵など描かれていません。福音書にもイエスの容姿についてほ、ほとんど書かれていない。新約外典のひとつ「ヨハネ行伝」の中に、少しだけイエスの容姿を推測させる記述があるのですが、正典となっている四つの福音書には、まったく何も書いていない。当初、イエスの容姿について何も描かれず、書かれなかったのは、「偶像崇拝の禁止」の影響だと思います。いずれにせよ、イエスの絵や彫刻というのは、後世の人びとの想像の産物にすぎないわけです。

まあとにかく、イエスが、いろんなところで飲み食いしていたと言っても、それほどの贅沢はしていなかったと思います。しかし、じゃあ、ものすごく禁欲的かというと疑問が残る。

福音書にも、人びとが「人の子（つまりイエス）」のことを「大食漢」「大酒飲み」と批判しているという話が出てきます（マタイ11章19節、ルカ7章34節）。それから、イエスは、たしか「神の国」を婚礼の場にたとえて、「花婿がいるとき、断食するやつがいるか？」というようなことも言っています（マルコ2章19節、ルカ5章34節など）。「花婿」、つまり「人の子」がいるときには、結婚式の宴会のように飲み食いして楽しんだっていいじゃないかというニュアンスです。ぼくはこうしたイエスの言動に、微妙に享楽的な雰囲気を感じることがあるのですが、このイメージは間違いですか？

橋爪 イエスの一行は、いつも空腹で、金もほとんど持っておらず、厳しい旅を続けていたように思います。だから食事に招かれたと思う。

「微妙に享楽的な雰囲気」だったかどうか。時間感覚が違ったのではないかな。イエスは逮捕され、死刑を覚悟していたわけだから、あまり時間がないんです。終末論的に行動していた、と言ってもいい。終末論的な状況では、禁欲も享楽も、あんまり違いがないんですよ。それを、世界が永続すると思っているふつうの感覚で評価しても、正確ではないと思う。

イエスの一行が食事をしていると、女性が入ってきて、高価な香油を瓶から髪にかけたり、ひざまずいてイエスの足に接吻したりする。それをユダが見とがめ、「そんな香油を無駄にしなくても、売れば、大勢の人に施しができるのに」みたいなことを言う。するとイエスは、「いや、施しはいつでもできるけれど、この人はいま私にこうしなければ、もう永遠にチャンスはないんだ」と弁護しています（マルコ14章3〜9節など）。贅沢が贅沢にならないのが、終末論的状況なのです。

大澤 まあ見方によっては、毎日コンパを繰り返しているように見えなくもないですけどね（笑）。そんなことを言うと、冒瀆に過ぎるかもしれませんが。

9　キリスト教の終末論

大澤　先ほどちょっと触れましたけど、イエスはときどき「神の国」について語ります。しかも、それは、すべてたとえで言うわけです。あの手この手のたとえ話を出して、神の国はこんなところだ、と言う。

しかし、このたとえがやっかいで、ふつうたとえ話というのは、わかりやすくするために使うものですよね。もちろん、中にはうまいなと感心するたとえもあるのですが、何が何だかさっぱりわからないようなものもしばしばあって、隣で聞いている弟子はもっと突っ込めよ、と言いたくなります。

「神の国」とはいったいどういうものなんですか？　洗礼者ヨハネも「神の国が近づいた」と言っているんですよね。イエスも「神の国が近づいた」と言う。もちろん、パウロの観点からもそうでしょう。

というわけで、彼らから見ると、どうやら神の国が近づいているらしいのだけど、それが何だかわからない。そして、どこにあるのかもわからない。わからないから質問すると、「神の国はどこかにあるものではない」などと言われたりする。結局、最も重要なメッセージがよくわからないままなんです。

橋爪　「神の国」というと、天国のことかと思っている日本人が多い。死んだら肉体が滅んで、霊魂がいく場所だ、みたいに考えている。

こういう考え方は、キリスト教と関係ありません。もちろん、イエスがそんなことを考えていたはずもない。

話の順序として、ユダヤ教からみていきましょう。まず、ユダヤ教に、終末の考え方があった。

終末は、どういうものか。「その日」には、ヤハウェがこの世界に、直接介入する。ユダヤ民族からみて、この世界の秩序は、正しくないわけです。ヤハウェを信じている自分たちが虐げられて、エジプトやバビロニアといった異教の国々がのさばっている。この間違った世界を、ヤハウェが正してくれる。ちょうど、不良債権がかさんだ銀行が国有化されたり、戒厳令が布かれたりするみたいに、この世界が直接ヤハウェの管理下に入るわけです。国際社会の政治力学が変化し、ユダヤ民族の国際的地位が向上して、エルサレムを中心とするユダヤ国家が覇権を取り戻す。こんな感じです。

そうすると「その日」は、いい日なのです。そして、突然やってきます。神の意思が直接働くのですが、その意思は「ユダヤ民族を救う」という意思です。ユダヤ民族が、集団として救済される。その救済は、この地上で、現実に救われることである。こういうものなのです。日本語の、「世直し」みたいなものに近い。

イエスのいう「神の国」は、これを裏返したものです。

似ているところもあります。突然やってくるところ。世界が正しくつくり直されるところ。神が直接に介入するところ。これまでの地上の秩序（政治とか富とか）が無効になってしまうところ。

違うのは、これが「地上のもの」でないと言われている点。地上でないなら、天の国なのかというと、天でもない。『ヨハネの黙示録』によると、「その日」には天も壊れてしまう。世界はリセットされて、つくり直される。「神の国」は、いまある世界の代わりに、神が新しくつくって与えるものなのです。神が用意してくれるので、人間は安心して、身ひとつでそこへ行けばいい。

自分がそこに行けるかどうか。それは、人間には知ることができない。神の胸三寸ですね。神の国に入れない人にとっては、「その日」は恐るべき日になる。

大澤　ユダヤ教の終末についてはある程度、想像がつきました。ようするに、ユダヤ人中心の、ユダヤ人がヘゲモニーを握った世界というイメージですね。でも、キリスト教の「神の国」は、誰が神の国のメンバーなのかわからないし、どこにあるかももちろんわからないし、やっぱりイメージしにくいです。

神の国に行ける人と行けない人がいるなら、どういう人が行けるのか。あるいはどういうふうにして行けるのか。たとえば、神の国の到来の前に、すでに死んでいる人だっているわけですね。その場合どうなりますか？


橋爪　「その日」には、死者も復活する。

福音書によると、イエスは、死者は復活すると考えていたことがわかります。サドカイ派の人物がイエスに論争を仕掛け、こんな例を出しました。夫とつぎつぎ死別して、七回も再婚した女性がいた。彼らがみな死んだあと、死者が復活するとしたら、神の国では、誰が彼女の夫になるのですか？　そんな不合理が起こるので、復活はありえないというのが、サドカイ派の主張です。これに対してイエスは、「神の国では、みな天使のようになって、男も女もない。結婚もないのである」と答えている。つまり、人はみな復活すると考えているわけです。

神の国に入れる資格について、どんなことを言っているか。幼い子どもを指し、「この子どものようでなければ神の国にふさわしくない」。あと、「先のものが後になり、後のものが先になる」、とも言います。

大澤　それも、イエスのわけがわからない言い方のひとつですね。

橋爪　現在の社会秩序や階層が、無効になるという意味だと思います。

あともうひとつは、「すべての人にへりくだって、仕える者が最も偉い」。これも似たようなことですね。こうも言っています。「天に宝を蓄えるように」。天に宝を蓄えるなら、錆もつかないし、泥棒に盗まれることもない。そうすると、神の国は天のようにも思えますが、天に蓄えた宝とは、たぶんいまは天にいるヤハウェの満足のことであって、人間が天に行くとは書いてない。

大澤　なるほど。一時的に預金しておく……。

橋爪　現在は天と地しかないわけだから、地に蓄えないで天に蓄えなさい、そこにヤハウェがおられるから。こういう意味だと思います。同じ意味で、「金持ちが神の国に入るのは、ラクダが針の穴を通るよりむずかしい」。金持ちに、財産を全部寄付して私について来なさい、と言ったら、彼が悲しそうに去っていったあとの、イエスのコメントです。

こんなところが、言われていることの大筋でしょうか。

大澤　それはどういうふうに当時は——あるいはその後も含めて——イメージされたんですかね？　神の国というのは、まあ一種の、究極の救済された状態ですよね。ユダヤ教の場合は、ユダヤ人と神が契約して、ユダヤ人に何か特別な良いことをしてあげるというような約束をしたことになっている。だから終末のときはその約束に従ったことが起きる。

非常にシンプルです。

しかし、キリスト教の場合は、神といずれかの共同体の集団契約じゃないですよね。簡単に言えば、個人の資格で救済される。でも、どういう資格を満たしたら、救済されるのかはよくわからない。とにかく、神の目から見てよしとされた人が救済される。さっきのサドカイ派じゃないけど、突っ込みを入れようと思ったらいくらでも入れられるんですが……。

橋爪 ふつうのユダヤ教（パリサイ派）の考える復活だと、「その日」のあとにも、それまでの秩序が存続します。政治は存続する。経済も存続する。家族親族関係も存続する。そして、神との契約や律法は存続する。神が介入して地上をつくり変えるとしても、それはユダヤ民族に有利になるようにつくり変えるわけだから、ユダヤ民族に不都合なことはしないはずだ。現在の地上の、大部分の権利関係は維持されるのです。

これを、イエス・キリストは裏返しているから、イエスのいう「神の国」は、まず、ユダヤ人でも行ける人と行けない人がいる。行けるかどうかは、神に委ねる。つぎに、神の国に、政治は存在しない。経済は存在しない。性別や家族も存在しない。これらすべてがない状態で、神を中心に、楽しく生きていきましょう、と言っているわけだ。

大澤 うーん、それはほんとうに楽しいですかね（笑）。キリスト教の場合、神の国は

「永遠の生命」ということになっていますよね。ようするに死なない。そうすると、逆に退屈な可能性もありますよね。ずっと生きていなくちゃいけなくて、性別もなければ、お金も権力もないとなると、人がふつう欲望するようなものは何もないのですから。

ちなみに、神の国に行けなかった人は、どうなりますか？　地獄に行く？

橋爪　「地獄」というものは、ありません。聖書には書いてない。

火で焼かれる。

火で焼かれるとは、まず、洗礼者ヨハネが言っている。実を結ばない樹木みたいに、斧で伐って焼かれると。イエスも言っている。福音書の中に、一ヵ所だけ呪いの言葉があって、いちじくの樹の話なんですけど、エルサレムでお腹が空いたのでイエスがいちじくの樹のところに行ったら実がなっていなかった。そこで、「枯れてしまえ」と言った。そうしたら、「すぐに枯れた」というのと「しばらくして枯れた」というのと、ふたつのヴァージョンがあるのですが、枯れてしまった。枯れて、火にくべられるだろうというわけです。これはふつう、イエスの言葉を聞かないでパリサイ派に従っている人びとのたとえだと解釈することになっています。とにかく呪われたグループがあって、滅びの道に入り、焼かれるということですね、裁きの日に。

大澤　そうなんですか？　ぼくは、福音書のその部分を虚心に読むと、なんとなくイエスの一番人間的なところが出ているだけじゃないかと思います。腹が減っていたときに、いちじくを見たら、実がなくて怒っているわけでしょ？　で、イエスは「お前なんか枯れちまえ！」と言って（笑）。いちじくがかわいそう。

もちろん聖書に書いてあることだから、いちじく＝パリサイ派だと解釈されているんでしょうけれど、ここはそんなに深いことを言わなくてもいいんじゃないかな。イエスは、空腹のために我慢がきかなくて、癇癪起こしているだけですよ。

で、ぼくはいつも思うんだけど、神の国があって、そこで一部救われる。他方で救われない人がいて、火で焼かれる。なんかそれも、残酷と言いますか……。

橋爪　なんで全員を救わないのだろうと、思いません？

大澤　そう思いますよ。

それに救われたほうだって、そんなに心穏やかでしょうか。仮に神の国に入れたとしても、あっち側ではずっと焼かれている人がいる。あまり楽しくないですね。ずっと死なずに、隣の苦難を見ていなければならない……。しかも、救われなかった人も死なずに、ずっと焼かれているんでしょ？

橋爪　そのとおりです。

大澤　だから、楽しく死なない人と苦しく死なない人がいて、これはとんでもないことじゃないかと思います。救ってやるならみんな救ってやれよ、と(笑)。

しかも、救いの規準をはっきり出せと神には言いたい。状況証拠的には、あんまりお金を持っていると合格は苦しいのかなとか、なんとなく微妙に暗示はされているんですけど、はっきりとした規準も示されずに一部だけ救うというのは、やっぱり変な感じがします。

橋爪 「透明性」が足りませんか?

大澤 そう、とんでもないと思う。

橋爪 情報公開をしてほしい?

大澤 そうなんです。説明責任を果たせ、みたいな(笑)。

橋爪 ここが本質なんですね。もしもそういうことを求めたら、一神教にならない。簡単に言うと、救うのは神で、救われるのは人間なんです。

大澤 人間の自分の努力で救われたりしない、ということですよね。これは第3部に出てくる予定説の問題も絡んでくるところですから、じっくり理解しておかなくちゃいけないことなんですけど……。

橋爪 救うのは神だから、人間は自分で自分を救えないんですよ。人間の行為を、「業《わざ》」という。業の問題ではないんですね。それに対して、神の行ないを、「恩恵」という。救いは、恩恵の問題なんです。神の恩恵に対して、人間に発言権があるかというと、ゼロです。なんの発言権もありません。

神が誰を救うかは、神自身が理解していればよく、それを人間に説明する責任もないし義務もないし。だいたい、説明しない、説明したくない。こういうものです。

これをまるごと受け入れないと、一神教にならない。

大澤　そうなんですよね。ただ、やっぱり、救われた状態に憧れを持てないところがありますよ。

橋爪　救われたいと心底願うには、この社会が間違っていると思っていないといけないんですよ。日本人はこの社会が間違っていると思っていないから。たとえば、いまの家に満足しているのに引っ越しなんて考えないじゃないですか。仮住まいで不満があって嫌で嫌でしょうがないから、どこであれ引っ越したいわけですよ。そのときに、引っ越し先に二ヵ所あるという、そういう話ですよ。

大澤　で、引っ越し先は勝手に決められちゃうということですよね。

橋爪　そうそう。だから、前提として、日本人は現状に満足していて、いじめられ民族じゃないんだ。

10　歴史に介入する神

大澤　キリスト教は、くりかえし強調してきたように、ユダヤ教やイスラム教と同じ、厳密な一神教で、偶像崇拝は厳しく禁じられています。そのへんの物や人が神様になってしまう宗教ではない。そのことを前提にしたうえで、ぼくがキリスト教について昔からずっと抱いてきた違和感について、ご意見をうかがいたいと思います。

イスラム教と対照させるとわかりやすいのですが、イスラム教では、神が、人間の前に姿を現すなんてことはありません。使徒（預言者）ムハンマドには啓示をもたらしますが、そのときだって、直接、ムハンマドの前に出てきて伝えるのではなく、大天使ジャブライール（ガブリエル）をメッセンジャーとして、間接的に伝えているだけです。神としては、何も人間に伝えないというわけにはいかないので、言ってみれば、苦肉の策として、一人だけ選んで、しかも慎重に間接的にクルアーンを伝えた、という感じがします。あとは、終末のとき、神の国（来世）に入れるかどうかを決定するところで、神が姿を見せるのでしょう。

でも、キリスト教の場合には、イエス・キリストというものが、直接、人間の世界に入ってきて、いろいろなことをする。これがとても不可解なんです。これまでの話で明らかになっているように、イエス・キリストは預言者よりずっと格上で、救世主なのか、神の子なのか、とにかく限りなく神に近いものです。その神のようなものが、二千年くらい前に出現して、パレスチナのあたりを弟子たちを連れて歩きまわり、結局、三十年くらい生きて死んでいった。つまり、神が歴史の舞台に入ってきて、思いっきりいろいろなことをやって、去っていった。こういう構成が、とても奇妙な印象を与えます。

神が天地創造をして、そのあと、最後の審判のときまで出てこないのであれば、わかります。ところが、キリスト教の場合には、神そのものが歴史の中に入ってきて、被造物のように振る舞っている。

イスラム教の場合は、そういう不可解なことができるだけ起きないように、工夫している気がします。神はムハンマドにしか関わらないし、その場合だって、かなり間接的ですし、関わりと言ってもクルアーンを伝えるだけです。つまり、神が、まるで被造物のように人間の世界に内在しないように、神と人間の接触を極小化している。

でも、キリスト教のイエス・キリストは、特定の歴史の時間の特定の場所に、堂々と出てきて、しゃべったり、ある人の病気を治すなどの恩恵を施したりしている。考えようによっては、これはすごく不公平ではありませんか。何しろ、たまたま二千年くらい前にパレスチナに住んでいた人は、直接、神（の子）に出会ったり、接したりできたことになるわけですから。

橋爪　キリスト教徒は世界を、「イエス以前」「イエス以後」で分ける。西暦は、イエス・キリストの生誕を基準にする、キリスト教暦です。

じゃ、ユダヤ教はどこで分けると思う？　ユダヤ教にも「旧い世界」「新しい世界」という考え方がある。

大澤　分けるとすれば、モーセが律法をもらったところですか？

橋爪　違いますね。

大澤　そうするとノアの箱舟？

橋爪　そう、「洪水前」と「洪水後」。そこで一回、神が直接介入しているでしょう。人間があまりに罪深いので、自ら手を下して人間を滅ぼしているんですよ。ただし、神の前に義《ただ》しかったノアは特別に赦され、一族と、ついでに動物もひとつがいずつ箱舟に乗り込んで、助かった。その後、そういう介入は生じていない。ですから、ユダヤ教徒は、ノアから後の時代はひと続きと考えるんですね。ノアの後、ヤハウェはアブラハムに語りかけ、モーセに律法を与える。これも、ノアを選んだのと、ひと続きのことなのです。

ノアの前、なぜ人間が神に背くようになったかというと、預言者もいないし、律法もなくて、言わば野放しの状態だった。そこで神は、介入を強めることにして、モーセの律法を下したのです。人間はこうして、何が正しく何が間違っているか、律法に照らして認識できるようになった。すると、律法（神の命令）に、従うことも反することもできるでしょう？　ここで「罪」という概念が、明示的に生まれた。ノアの前は律法なしの罪だったのが、今度は、律法に照らしての、ルール違反なんですね。

イエスの出現はこの延長上なんです。

キリスト教からすると、まずノアの洪水（神の直接行動による処罰）があって、それから、契約（モーセの律法）によって人間に規範を与えた。でも、ルール通りにできない罪をどうするかという問題になり、それが無視できないまでになったとき、イエス・キリストが現れた。

ひとつの可能性としては、イエスが現れるその時が、二回目の神の直接介入で、最後の審判だ、というケースが考えられる。

大澤　あり得ますね。

橋爪　そうすると、どうなると思います？

大澤　もう救済は終わっているんですよね？

橋爪　最後の審判は、救いの日でもある。

大澤　すでに神の国があるということですか……。

橋爪　裁きのあと、神の国ができあがる。でも、誰が入れます？　誰も入れないでしょう。だって、モーセの律法に完璧に従えた人なんていないから。入れたとしてもモーセやエリヤら、ひと握りの預言者だけで、あとは全滅です。

大澤　そうなりますね。

それなら、イエスの磔刑《たっけい》で人間の罪が贖《あがな》われているというキリスト教の贖罪の論理を使って、全員救われるという解答ではまずいですか？　イエスが代わりに罪を贖ってくれたわけですから、人類がまとめて罪を贖われたことになります。

橋爪　まず、いまのべたように、イエスが十字架で死んだりしないで、直接、最後の審判が行なわれたら、たぶん、ほとんどの人間は、救われない。

大澤　そうですね。その場合は全員救われないというのがたぶん正解でしょうね。

橋爪　神は、それをしたくなかったんです。

そこで、別な計画（シナリオ）を用意した。それによると、最初にイエスが、ただの人間（人の子）として現れて、人間の罪を背負ってみじめに死んでしまう。そして、復活する。そのあと、天に昇った。

天に昇ったのは、やがて再臨するため。そのときは、本格的な神の介入になる。イエス・キリストは、人間に殺されたので、人間に復讐する資格がある。人間は、どんな罰を受けても文句は言えない。でも逆に、イエス・キリストには、人間を赦す資格がある。イエス・キリストは人間として死刑になったので、罰はもう済んだと言える。どちらになるかは、イエス・キリストの裁量です。イエス・キリストが再臨する「主の日」に、最後の審判を行なう。こういう、ワンクッションを置いた。これが、キリスト教の考える、神の計画です。

これは、契約の更改を意味します。モーセの律法は、効力停止になった。神の介入によって。イエス・キリストがこの世に生まれたのは、神の介入なのです。これまでの、律法に従うというゲームは、ルールが変わって、今度は、神の新しい計画によって与えられたチャンスを信じる、というゲームになった。神は、なるべく多くの人間を救おうとしている。このままだと全員救われないので、ルールを変えてまで、人間を救おうとしている。そういうメッセージを人間に伝えた。

ところが、このメッセージを受け取っても、それが救いのメッセージだと思う人と、思わない人がいる。思う人は、信仰を持っていて、思わない人は、信仰を持っていないわけだな。

大澤　ぼくは信仰を持っていないグループに入りそうな感じがしますけど（笑）、いろいろ突っ込みを入れたくなります。

ノアの箱舟の話については第1部でも言いましたが、正直、「ちょっとどうなの？」と思いますね。ゲームを始めてみたら展開がまずいから、ごく一部だけ残して、リセットボタンを押したようなもので、「最初から後悔しないようにつくれよ、あなた全能なんでしょ」と神様に言いたくなります。

イエスのほうは、さらにやっかいな難問です。ようは、みんな罪を負っていて、このまじゃ全員、神の国に行けそうもないから、神としては、いったん罪を贖ってリスタートということにしたわけですよね。でも、そうだとすると次のような疑問が浮かびます。

みんなが罪を負っていて、誰も神の国に入ることができないという状況で、神がやれることは、論理的に二つだと思うのです。一つは正攻法で、誰も救わないというやり方。神の国は全員シャットアウト、みなさんさようなら、という手です。

でも神はそれを望まなかった。だからもう一つのやり方をとった。神は、言わば「わが子」を十字架にかけるという、かなり特殊な方法で人間の罪を贖います。なぜ、これで人間の罪を贖ったことになるのかは大きな疑問なので、あとでお聞きするとして、とにかくキリストが十字架の上で殺されることで、人間の罪が贖われたことになる。神は、なんでこんなに手の込んだ方法で、人間の罪を赦すのでしょう？　どうせ赦すんなら、直接、全員を「赦してやる」と宣言すればいいのに、どうして、自分の子を使って、あんなすさまじいパフォーマンスを演じさせなければならなかったのか。これは、的外れな疑問ですか？

橋爪　それぐらいなら、アダムとイブをなぜ、エデンの園から追放したのか。

大澤　まったくその通りです！

橋爪　追放した以上は、人間が自分でどこまでやれるか、見ているんじゃないのかな。見ていたら、ノアみたいに義《ただ》しい人間も出てきたけど、大部分の人間はダメだった。そこでノアの一族だけを残して、もう一回、様子を見た。そして、アブラハムを選び出し、選ばれた民として、律法も与えた。そうしたら、たしかにヤハウェを讃えるイスラエルの民になった。なったけれど、律法をちゃんと守れているとはとても言えない。

キリスト教の立場から言うと、この段階は、いく通りもの意味で問題があった。

まず、アブラハムを選んだために、それ以外の系統の、ヤハウェを知らない異教の民族が多くできてしまった。これでは、ヤハウェとしては、世界が終末を迎えるにはまだ時が熟していない。ヤハウェとの契約（律法）を守る人びとは、人類全体のごく一部で、この状態のまま全人類を裁判するのは問題だ。

それに、契約を結んだユダヤ民族からも、律法を守れない人びとが続出している。よく考えてみれば、律法は、人びとが努力して神に従うための手段のはずで、律法が目的になったらおかしい。だから神は、この律法（契約）を破棄する自由がある。と言っても、契約を完全に破棄すると、ノアの洪水以前に戻ってしまうから、契約を更改することにし、新しいゲームを始めた。

新しいゲームは、律法のゲームではなくて、愛のゲームです。

愛は、律法と違って、無条件にチャンスを与える。愛は、呼びかけ。人間は、神のメッセージをわかって、それに応答しなければならない。イエス・キリストが現れてから最後の審判までの時期、神は、その呼びかけに人間がどう応答するか、待っているんですね。ヤハウェを信じる人びとは、ユダヤ民族から、人類全体に拡大しつつある。こういうシナリオが、進行中なわけです。

11　愛と律法の関係

大澤　なるほど。しかし、そこから、またあらたな疑問へと発展してきます（笑）。愛と律法の関係です。

教科書的なことを確認しておくと、イエスは、律法を廃棄して、それを愛に置き換えた。ただ、律法を単純に否定し、排除したというより、むしろ、愛こそが律法の成就だということになっています。弁証法でいう「止揚」という感じです。橋爪さんがいま話されたように、律法のゲームから愛のゲームへの転換が、新約とともに実現するわけです。

その愛のことを、「隣人愛」という。「隣人」と聞くと、身近で親しい人のことだと思うかもしれませんが、そうではない。罪深い人とかダメな人とかよそ者とか嫌な奴、そういう者こそが、「隣人」の典型として念頭におかれていて、彼らをこそ愛さなくてはならない。だから、イエスは、自分についてくる者は、父や母や妻や自分の命までも憎まなくてはならない、とまで言っています（ルカ14章26節）。身近な人を赤の他人より優先することは、ほんとうの隣人愛ではない。

さて、何度ものべてきたように、キリスト教の特徴は、二段ロケットのようになっていることです。キリスト教は、ユダヤ教の部分を克服しつつ、それを内部に残している。律法の廃棄が言われながら、律法の部分が（旧約聖書のかたちで）きっちりと保存されている。

ここでぼくが疑問に思うのは、どうして律法の部分が保存されているのか、ということです。神の観点からこの疑問を言い換えると、愛が重要であるというのならば、神は、どうして、いきなり愛を説かなかったのか、となります。

神は、まず、モーセを通じて律法を与えた。しかし、人間は、律法を完全には守ることができない。あるいは逆に、パリサイ派みたいに、律法に強迫的にこだわりすぎて、律法を守ること自体を自己目的化する人が出てくる。そこで、律法を廃棄するわけですが、それならば、最初から「愛」だけでよかったのではないか。なぜ、神は、「律法」を通じて人間を十分に苦境に追い込んでから、「愛」を出してきたのか。

実際、キリスト教の真似ごとのような新興宗教はいっぱいあって、そういうところでは、律法なんて何も言わずに、愛を説いています。そうした新興宗教とキリスト教が違っているのは、律法を経由した後で、愛を説いているところだと思います。キリスト教における律法と愛の関係は、どうなっているのですか？

橋爪　愛は、律法がかたちを変えたものなんですよ。

大澤　そう考えざるを得ないですね。

橋爪　共通点がある。愛も律法も、どちらも、神と人間との応答である。そして、神と人間との関係を設定する契約である。神と人間との関係を、正しくしようとする努力なんです。

契約は、そのままなら、律法（法律）になるでしょう。法律になるんだけど、イエスはそれを、ほとんど中身ゼロにしてしまった。パリサイ派の学者がやってきて、質問した。

「イエスさん、あなたは律法に詳しいが、あんなにたくさんあるモーセの律法で大事なのはどれでしょう」。イエスは答えて、「第一は、心をこめて、あなたの主である神を愛しなさい（『申命記』6章4〜5節）。第二は、あなたの隣人をあなた自身のように愛しなさい（『レビ記』19章18節）。律法はこの二つに尽きている」とのべた。たくさんあった律法が、たった二条になってしまった。しかも、両方とも、愛なのです。

律法（たとえば、姦淫してはならない）は、守れたかどうか、規準があってはっきりわかる。それに対して、愛は、規準がないから、どうすれば愛したことになるのか、これで十分ということがない。律法としては、空っぽです。それでも、愛を、神と人間との契約だと考え、もとの律法の枠組みを残した。それはキリスト教が、神が人間と契約を結んだときの動機を大事にしたからだと思います。

なぜヤハウェは、アブラハムを選び出して、呼びかけたのか。アブラハムが呼びかけたわけじゃなく、ヤハウェが呼びかけているでしょ。で、アブラハムが従った。その結果、約束の地に行くことになった。そのあと、エジプトを経て、今度はモーセが、民を率いて約束の地をめざすことになる。その途上で、律法が与えられる。一連の動きじゃないですか？

大澤　そうですね。それは歴史として書かれていますしね。

橋爪　じゃあ、なんで呼びかけたのか。ちなみに、見ず知らずの誰かに声をかけて「ついておいで」と言うのを、ナンパという。神が、そういう行為をした。それは、仲よくしたいということでしょ、簡単に言えば。

大澤　渋谷でいきなり男が女に声をかけるみたいに、神がアブラハムをナンパして、これに人間（アブラハム）が応じたということですね！

橋爪　だからこれも愛ですよ。関係のないところに関係を作ろうとしているんだから。

だけど、律法というかたちになってしまうと、呪いの部分があるわけ。ルール違反をしたら処罰しますよ。でも、愛もよくそういうかたちを持っているでしょう。だから、律法と愛をそんなに区別する必要はないんです。

イエスはそれを、純粋形にしたんだと思う。まず、呼びかけの対象を、アブラハムの子孫（ユダヤ民族）だけじゃなくした。

大澤　それは重要ですよね。

橋爪　それから、呼びかけに応えるのに、割礼やほかの、どんな具体的な行動も必要ないことにした。あえて言えば、隣人愛にそって行動することなんですけど、隣人愛のいちばん大事な点は、「裁くな」ということです。人が人を裁くな。なぜかと言うと、人を裁くのは神だからです。人は、神に裁かれないように、気をつけていればいい。神に裁かれないためには、自分がほかの人を裁かないということです。愛の中身はこれなんです。律法はね、人が人を裁く根拠に使われたんですよ。だから、なくした。イエスが言っているのは、そういうことでしょ？　そういうふうに、神のメッセージは一貫している、というのがキリスト教の立場です。

でも、これも神からの呼びかけだから、わかる人とわからない人がいるわけ……。そこで、全員を救うわけにはいかないんですよ。

大澤　ぼくが、なぜ律法と愛の関係にこだわるかというと、日本人のキリスト教理解は、しばしば二階建ての家屋の二階部分（新約）だけをいきなり受け入れているように思えるからです。ほんとうは一階に律法（旧約）があって、その上に隣人愛が載っている。だから、日本人はキリスト教がいまひとつ理解できないような気がするんですね。

12　贖罪の論理

大澤　愛の問題との関係で、もうひとつ是非ともお聞きしたいのは、贖罪の論理についてです。これは、罪のないイエス・キリストが十字架上で処刑されて死んだということが、すべての人間の罪の贖いであるという解釈ですね。まあもともとはパウロの考えに基づいているのでしょうが、そう解釈するのがキリスト教の基本的な筋書きだと思います。でも、ふつうに考えてみると、なぜキリストが死んだら人間の罪が贖われたことになるのか、じつはよくわからないのです。

橋爪　このことは聖書に、はっきり書いてありません。なぜ書いてないのか？　当たり前すぎると思って、書いてないのかもしれない。よくわからない。

で、私がいちばん納得しているのは、古代法の、同害報復説です。「目には目を、歯には歯を」という……。

大澤　復讐の論理みたいなものですね。

橋爪　復讐の論理です。

同害報復は、復讐法の一種で、ユダヤ民族や古代世界の人びとには常識みたいなものだった。

そこでまず、復讐法ですが、これは刑法と民法がはっきり分離していない。被害者（の親族）が直接、加害者（犯罪者）に復讐する。これが刑の執行で、正義だという考え方です。罪ある人に対して、報復として刑罰を科す。報復なのか刑罰なのか、わかりにくい。まあ、どちらでもある。

刑法ですから、「罪があるから罰がある、罪がなければ罰がない」という刑法の原則に従うはず。罪の大小に応じて、刑の大小が決まる、という原則もある。同害報復は、罪（片目をつぶした）に等しい罰（片目をつぶす）を与えるべき、という規準を示すもので、罰が大きすぎないようにする点に主眼がある。復讐を、正義に従わせるための原則なのです。

では、「罪がないのに罰せられる」とは、どういう状況か。これがまさに、イエス・キリストがひき受けたことです。その結果、なにが起こるのか。

復讐法は、血縁集団（部族や氏族のようなもの）はあるけれども、国家権力（警察や司法）はまだない、という段階の法律です。AとBの、ふたつのグループがあったとする。仲間が殺されたりしたら、親族は復讐する義務がある。これが、法秩序（みなの安全）の前提なのですね。たとえば、Bのグループのbという人物が、Aのグループのaに殺されると、Bのグループの連中が復讐に押しかけて、aを殺害する。これが「血の復讐」で、被害者の権利です。ところが、犯人のaを殺すはずだったのに、間違えて、aの兄弟（☆）を殺してしまった。殺してから気がついた。

この場合、真犯人のaを処罰できるか。できないんです。もう、一人殺してしまった。同害報復ですから、一人殺されたら、復讐は一人だけ。それ以上殺すことはできない。

大澤　それでイーブンということですよね。

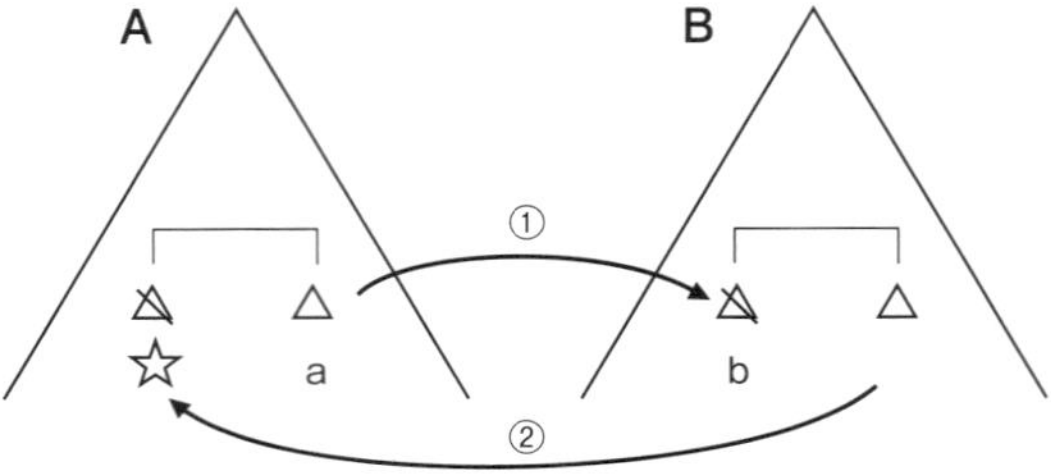

①aがbを殺害する
②報復でaを殺害するはずが、誤ってaの兄弟（☆）を殺害する
③aは、罪があるのに、助かる

同害報復の考え方

橋爪　連帯責任なんですね、復讐法の考え方は。連帯責任だから、Aのグループで、「罪のない者（☆）が罪のある者（a）の罪を肩代わりして殺されてしまった」ので、「罪のある者は罪がありながら赦されてしまった」んですよ。こういうことが起こる。同じことが、イエスの十字架の処刑についてもあてはまる。

　このBがヤハウェだとすると、人間は罪があるから、罰としてヤハウェに破滅させられてしまう。ところが、人間として生まれたイエスが、「私が代わって死にます」と、人間の罪をひき受けて、十字架で死んでしまった。すると、もう処罰がすんでしまって、人間を罰するわけにはいかない。人間は罪があるまま赦されるのです。

　イエス・キリストの場合、一人対一人ではなくて、一人対人類全体となっていて、釣り合わないみたいですが、なにしろ神の子だから、これでちょうどよい。その神の子が、あえて、人間の罪の身代わりを買って出てくれた。ということは、人間の義兄弟になってくれたということです。

大澤　それはひとつの解釈として、ありえるかもしれませんね。キリスト教の贖罪の論理が、当時の人びとにとってある種の説得力を持ったのは、もともと氏族や部族のあいだにそういう同害報復の習慣があったということはあると思います。また、キリスト教の贖罪というアイデアに関して、文化人類学的にその起源へと向かってさかのぼれば、そのような同害報復の習慣につきあたるのかもしれません。

しかし、論理的に考えると疑問は残ります。橋爪さんもおっしゃったようにイエスは神の子ですよね。Aグループを人、Bグループを神とすると、イエス・キリストはAとBのどちらに属しているかと言えば、Bに属しているわけです。だから、同害報復するにあたって、Bのほうが、「じゃあ、おれのところ（B）の子どもをお前たち（A）に貸すからさ、おれが、そいつを殺したことで、お前たちへの同害報復をしたことにしてあげよう」というのはおかしいと思う。神は、相手の子ではなく、自分の子を殺しているわけですから、同害報復になっていない。

たとえば、『創世記』のイサク奉献みたいなやり方だったらまだわかるんです。つまり、罪を犯している人間に対して、同害報復の論理で取り引きしてやるから、人間の中からひとり犠牲者を出しなさいと神に言われたのであれば、理屈としては通ります。アブラハムは神の命令で息子のイサクを殺そうとするわけですが、これは神がイサクを捧げろと言っているわけですから、結局、神がアブラハムを用いてイサクを殺したことになる。

しかし、イエスの磔刑の場合は、殺されているのも言ってみれば神の陣営の人ですよね。だから、なんとなくその論理は通用しないような気がするんですけど。

橋爪　たしかに、マッチポンプのようにも思えるけれど、それが神の計画であり、イエスをこの世に送った理由ですよ。

大澤　そうでしょうね。

橋爪　いま、アブラハムの、イサクの犠牲の話が出ました。イエスの贖罪は、それとも深い対応関係があると、私は思います。

アブラハムは神に選ばれたじゃないですか。それで子孫の繁栄を約束されて、やっとのことで一人息子が生まれたわけでしょう。

大澤　そうですね、歳をとってから。

橋爪　ところが、その一人息子イサクを、理由も告げずに、ヤハウェに犠牲に献げる（つまり、殺す）ように命じられた。アブラハムは躊躇なくそれに従って、イサクを手にかけそうになったとき、天使が飛んできて「わかった、やめなさい」と言われ、あと一歩のところで殺害行為は中止になった。

　これは、アブラハムが、神のために自分の一番大事なもの（一人息子）を犠牲にするのをためらわなかったことに、ヤハウェが満足したという意味だと思う。ここでヤハウェは人間に、言わば「借り」ができた。ヤハウェはこのことを覚えていて、人間が困ったときに、あべこべに彼の一人息子イエス・キリスト（一番大事なもの）を犠牲にしよう、と思いついたのだと思う。そして今度は、未遂ではなくて、本当に犠牲になってしまった。

　このように、イサクの犠牲とイエスの犠牲が、一人息子を献げるという構図で、対応しているのだから、ヤハウェは人間に応答していると考えられるのです。

大澤　たしかに、イサクの犠牲とキリストの処刑には対応関係がありそうですね。イサクのケースの、アブラハムの位置に神が入り、イサクのところに神の子が入ればキリストのケースに転換する。キリストの死は、イサクのケースをヴァージョンアップしたものという感じがします。

　いずれにせよ、キリストの贖罪の論理というのは、なかなか難しい。……ちょっとピンとこないところもある。ピンとこないというのは、あえて言うと、神様というのはなかなかユニークな性格の方ですね、ということなんですが（笑）。

橋爪　いや、これはメッセージなんです。イエス・キリストが生まれ、十字架で犠牲になったことが、神からのメッセージだと思えるなら、キリスト教徒です。

大澤　そうですね。ただやっぱり、開き直って冒瀆的なことを言えば、わざわざ自分の息子を犠牲にするなんて回りくどいことをしなくても、いきなり赦せばいいじゃないか、と神様に提案したくなりますね。赦すか赦さないかは、神自身が決められるんだから。

橋爪　神も、契約に縛られているんです。いったん契約した以上は、救われたければ契約を守ってくださいねと、人間に言わざるをえない。そういうルールでものごとは進んでいる。律法のゲームが進行しているのに、神といえども、契約を無視して人間を救うことはできないのです。

13　イエスは自分が復活することを知っていたか

大澤　イエスは福音書の中で、自分は殺されるかもしれないと何度も予言しています。おそらく、ユダヤ人の長老たちの嫉妬や恨みをひしひしと感じていたのでしょう。だから、イエスは自分の死を予期していて、実際その通りに殺害された。そして、死んでから三日後に復活するわけです。

ここで見過ごせない問題は、イエスは自分が復活することを知っていたかどうかです。なにしろ彼は神の子ですから、たとえ死んでも、後で復活することを知っていた可能性は十分ある。でも、もしイエスが復活を予知していたとすると、死刑と言っても全身麻酔でしばらく眠るのと大差なくなります。これでは、イエス殺害をめぐる出来事の圧倒的なインパクトがなくなってしまいますよね。

いったい、どちらなのでしょう？　イエスは復活を知らずに殺されたのか、知っていてとりあえず殺されたのか。

橋爪　たしかにここは、キリスト教理解の急所のひとつです。

マトリョーシカの話を思い出して下さい。そのいちばん内側には、歴史的実在としてのイエスがいた。神の子ではありません。ふつうの人間として、義の教師として、パリサイ派の人びとに耳障りな説教をし、捕まって、死刑になった。人間として苦しんだと思います。それで終わりです。三日目に復活するとは、もちろん思っていない。

大澤　事実としてはね。歴史的な人間イエスは、冤罪で死刑になったのでしょう。でも、信仰をもってこれを読む人、つまり、神の子の話として読む人は、どういうふうに読めばよいのですか？

橋爪　キリスト教徒は、イエスを、神の子だとした。神の子だと考えると、イエスがそういう意識をもっていたと考えなければならない。神の子だという自覚がなければ、福音をのべ伝えることができない。自分が神の子で、犠牲になるということを含みで教えているから、義の教師の道徳的スピーチではなくて、福音になるんです。福音とは、これを聞いてている人は救われるという意味です。福音とは、これを聞いキリスト教が成立するためには、イエスのスピーチは福音でなければならない。それには、自分が神の子だと、イエスは意識していなければなりません。復活することも、知っていなければなりません。復活するとわかっていれば、どんなに苦しめられたって痛いだけですから、恐れはない。「人間的な苦しみ」とは、質が違ってきます。

これでみんな悩んだんですね。

すっきりしようとすると、百パーセント神の子だから、人間の要素はゼロ、悩みや苦しみはあるように見えても全部演技です、ということになる。あるいは、そもそもイエス・キリストは幻で、人間として実在しなかった。実在するのは神だけで、イエス・キリストはバーチャルな3D映像です、という話になる。キリスト仮現説ですね。これだと、矛盾なく、一神教の体裁がとれます。

大澤　筋は通りますよね。しかし、キリスト教らしさはぐっと減ります。

橋爪　これを一方の極とすれば、もう一方の極には、イエスは百パーセント人間で、神の子でもなんでもない。せいぜい預言者だ、という考え方がある。これも明快で、矛盾なく一神教の体裁をとれる。

ところが、すっきりはするものの、どちらも人びとを満足させなかった。そこで、論争の結果、どちらでもない中間に落ち着いたのです。それも、足して二で割るのではなく、イエス・キリストは「完全な人間であって、しかも、完全な神の子である」、という結論になった。

こうなるには、深い必然があったと思う。

まず、神の子でなければ福音にならないわけだから、神の子でないといけない。でもイエスは、人間に生まれなければならなかった。バーチャルな存在では人を救う力がないんです。実際に人間として処罰され、殺害されないと。

その両方を信じたので、イエス・キリストは、イロジカルな存在になった。神の子で、人間でもある存在が、神の主導でこの世に現れた。そう考えると、どうしても、そういうイロジカルな存在が出来あがるんです。こういう理由で、キリスト教の教理は、落ち着くところに落ち着いたと思います。

大澤　これは、どうしようもないギリギリのパラドクスとしか言いようがありませんよね。おっしゃるように、ロジカルに筋を通そうとすると、キリストは、実は見えているけれどそれは実体ではないというアイデアもあるけれど、それなら、十字架の上で死のうが何だろうが全然どうってことない。他方で、十字架の上での死が、これだけ強いインパクトをもつ出来事であるためには、イエスはやっぱり人として死ななければならない。しかし、そうなると今度はただ人が死んだだけですから、数ある預言者の犠牲と同じものになって、イエスが語ったことが福音ではなくなってしまう。

したがって、どっちでもあるというふうに言わざるをえない。これはおそらく、キリスト教が抱えている究極の逆説のひとつの断面かなという気がしますね。

橋爪　百パーセント人間で、百パーセント神。足すと、二百パーセントになってしまう。そんなイエス・キリストの内面は、人間には推測できない、そんな人間はいないから。

十字架のイエス・キリストは、人間が苦しむのとまったく同じ苦しみを、受けなければならない。と同時に、かたときも、神の子であるという自覚を失ってもならない。どう考えたって、神の子の自覚があれば、人間と同じ苦しみを受けられないのではと思われるけれども、でも神の子の自覚が百パーセントありつつ、人間としての苦しみを百パーセント受けた。これが公式な教理として、決定されたのです。

あえてなぞらえると、解離性同一性障害というのがある。いわゆる、二重人格ですね。一人の人格が、まったく人間で、まったく神なのですから。

大澤　まあ、そういうふうに思うしかないんですね。

福音書を読む限りは、キリストは相当、人間として苦しんでいるような気がしますね。死の予感におびえているようにさえ思えます。いわゆる最後の晩餐があって、そのあとイエスは、弟子たちを引き連れてゲツセマネ（オリーブ山）というところまで行き、一人で祈ります。このとき、本当にこの惨劇を避けられるものなら避けたいということを神に願っているように思います。と同時に、でもそれが神の思し召しであるなら、受け入れます、というふうにも言う。そこでのイエスの苦しみは、まさしく人間的な苦しみとしか言いようがない。ここを読んでぼくらが強く心を動かされるのは、人間として苦しんでいるイエスの姿をそこに見るからですよね。

14　ユダの裏切り

大澤　もし人類の歴史の中で最も影響力の大きかった出来事を一つ挙げろと言われたら、ぼくは、イエスの処刑だと思うんです。たった一人の人間の死が、結果的には人類史に圧倒的な足跡を残し、いまでも大きな影響を及ぼしている。

なぜこの出来事がこれほどのインパクトをもったのか。

それはやっぱり、イエスが惨めに殺されていくからでしょう。冤罪ではないかと思うような微妙な罪で、しかし、十字架刑という最も惨めな方法で殺された。それですごく心を動かされるわけです。

ただ見方によっては、イエスには死後の名誉があるんですよね。こうやって死んだけど、それは結果的に殉死以上の殉死というかたちになった。つまり、イエスの死は、最も惨めな死であると同時に、栄光の死ですよね。その意味で、イエスは、死後に救われているわけです。

しかし、この一連の出来事の中で、まったく救われない男がいます。ユダです。ユダはイエス以上に惨めと言ってもいい。福音書を読むと、ほんとうに救いようのないキャラになっている。

ユダ以外の使徒だって、消極的にイエスを裏切っていますよね。イエスが捕まったとたんに蜘蛛の子を散らすようにみんな隠れちゃいますし、ペテロの「鶏が二度鳴く前に三回否認する」という有名なシーンもあります。だからほかの使徒もあまりかっこよくはないわけですが、しかし、彼らはイエスの死後、原始キリスト教団を作るうえで最も重要な人たちになっていく。死後も最高の聖人としてあがめられた。しかし、ユダだけは、どういう角度から見ても救いようがないのです。

ユダの裏切りについては、福音書によって微妙な書き方の違いがあって、事実としてはよくわからないところもあります。

ユダはいつ裏切りへと気持ちを転換したのか。ぼくは、もしかしたら最後の晩餐のときではないかと想像しています。イエスは弟子たちと一緒に食事をしながら、「この中で一人、おれを裏切るやつがいる」と予言するわけですが、キリストはここで弟子たちにマイナスの暗示をかけているように思えるのです。

どういうことかというと、イエスの予言めいた言葉を聞いた弟子たちは、口々に「ぼくじゃないですよね？」と言い出します。福音書によってこの場面の記述は少しずつ違うんだけど、マタイではユダが最後に「私じゃないですよね？」とイエスに聞く。すると、イエスは、ユダに向かって「お前はたしかにそう言ったな」と告げる。

そんなふうに言われたら、人間って逆に暗示にかかっちゃうような気がするんですよ。よく、やってはいけないと思えば思うほど、うっかりやってしまうことがあるじゃないですか。だからここでイエスは、弟子たちの誰かが裏切らずにはすまない状況をつくって、彼らを暗示にかけている気がしてしようがないんですよね。

イエスは、一方では、自分が殺されることに対して、それを悲しみ、避けたいという気持ちももっている。しかし他方で、旧約聖書のなかで預言されていることとの関係もあって、自分が処刑されて死なない限りは、事が終わらないこともわかっていたでしょう。ですから、事を成就させるために、弟子たちに暗示をかけて、裏切りへと導いているのではないか。

もっと邪推をすれば、最後の晩餐で「お前たちの一人が……」と言っているとき、イエスはじつは誰が自分を裏切るかは知らなくて、弟子たちの様子を見ながら、最も動揺していて、暗示にかかりそうな人を探し出すために、あえてそんなことを言ってみたのではないか。そういう意味で、「この中で誰かが私を裏切る」というイエスの言葉は、典型的な「自己成就的な予言」なのかもしれない、と思うことがあるのです。

橋爪 大澤さんの見方には、とても道理があると思う。

福音書が福音書として成り立つためには、イエスは無罪でなければならない。それなのに、刑事犯として起訴され、死刑にならなければならない。つまり、冤罪でなければならない。

大澤 そうですね。

橋爪 冤罪とはいえ、法廷では証拠調べなんかが、ちゃんと行なわれる。リンチじゃ駄目で、正式な判決と死刑執行が必要なんです。

そうすると、イエスのことを理解しないで、あるいは理解しすぎて、イエスを受け入れられず、この筋書きを実行する人びと、悪役がいないと、福音書は成り立たない。

彼らはかたくななな人たちで、いっぽうではパリサイ派に代表されるユダヤ教徒なんだけれど、もういっぽうでは弟子たちで、イエスを守るはずの彼らがイエスを守らない……。弟子たちが賢明で有能すぎると、イエスは捕まらず、死刑になれない。だから、それなりにドジでないといけない。ペテロもいろいろドジをやっているけれど、おおむね過失のたぐいで、イエスを死刑にするほどの決め手にはならない。唯一、ユダだけが、主体的に弟子の役割を踏み越えて、この筋書き（プロット）に加担しているわけだ。つまり、裏切っている。

ユダの裏切りがプロットのために絶対必要なのは、大澤さんの指摘どおりなんだけど、そうすると、福音書で最も大事な役割を果たし、神の計画を完成させているのは、ユダなんです。

大澤　まったくそのとおりですね。

橋爪　ユダは神の計画の一部で、ユダを動かしているのは神だ、とさえ考えられる。『ユダの福音書』という本があって、しばらく前に発見され、最近翻訳が出ました。そういう立場で書かれているんです。

大澤　ぼくは読んでいないんですが、その福音書のことは知っています。

橋爪　非常に短いもので、要点を言うと、ユダはイエスが最も信頼した弟子だった。イエス・キリストが、十字架で死ぬという計画を実現するために、どうしてもユダの協力が必要になった。そこでイエスは、ユダに言う。「ユダよ。お前は弟子たちのなかでいちばん信頼できる。私を、銀貨で売り渡してほしい。これを頼めるのはお前だけだ」。で、ユダはそのように実行した、と。

これは、ペテロが一番の弟子で天国の鍵を預かり、ペテロ以後代々、法王の座を受け継いでいまに至っているというカトリック教会にしてみると、絶対に認められない福音書なんですね。それで、この翻訳が出たら、バチカンがすぐ声明を出し、英米圏のメディアでは大きく扱われたけれど、日本では一行もニュースにならなかった。

大澤　考えてみると、この復活劇のポイントは、誰かがイエスをきっちり裏切らなければならないということですね。だから、ユダの役回りは絶対に必要です。

ただ、『ユダの福音書』みたいに明示的に裏切りを計画してしまうと、この事件のインパクトがかなり減殺されることも事実なんですよね。

イエスはその出来事をできることなら避けたいと思いながら、オイディプスの悲劇のようにそのなかに不可避に巻き込まれていって、そして心ならずも裏切られているがゆえに、インパクトがある。もし、裏でユダと相談していたとなったら、そもそも裏切りではなくなってしまう。これは微妙ですよね。

橋爪　だから聖書に入らなかったんだと思う。

大澤　それを入れてしまったら、処刑・復活のストーリーが台無しになっちゃいますからね。それでもやっぱり、ぼくはいつもユダに非常に同情します。

15　不可解なたとえ話1　不正な管理人

大澤　橋爪さんは福音書を読んでいて、首をかしげることはないですか？　イエスの発言に関して、いくらなんでもこれはおかしいだろうと思うことがぼくはときどきあります。

橋爪　そういうことを、どんどんあげてみましょう。

大澤　じゃあ、最も不可解なものからいきますね。すでにのべたように、イエスは「神の国」について、全部たとえ話で話しますよね。一つとして、正面から「神の国とは……」と定義している言葉はありません。そして、たとえ話の中には、感心するものもありますが、よくわからないものも少なくない。

これから紹介するのは「不正な管理人のたとえ」と呼ばれている話ですが、きわめつきにわかりにくい。それほど有名な話ではありませんが、イエスの言っていることの不可解さは際立っています。

ある金持ちが、一人の管理人を雇っている(たぶん、金持ちが神に対応するのだと思います)。管理人は金持ちのお金を管理しているのですが、あるとき誰かが、その金持ちの主人に「あなたの管理人は財産をむだづかいしている」と告げ口してきた。管理人に疑いをもった主人は、管理人を呼んで、会計報告を出せ、もうお前に管理させるわけにはいかん、と言う。管理人は、主人に解雇されるのではないか、と不安を覚えるわけです。

そこで、管理人は、万が一解雇されたとき、みんなが助けてくれるように、いろんな人に恩を売っておけばよい、と考えた。彼は財産の管理人なので、主人が誰にいくら貸しているかを知っている。そこで、主人に借金がある人を一人ひとり呼んで勝手に借用証書を書き換え、借金を減額してやるんですね。

この管理人の行動は、ぼくらの常識からすると、とんでもないことです。もともと、彼は主人の財産を不正使用していたうえに、今度は、主人が貸しているお金を勝手に小さくしているわけですから、二重の業務上横領ではないか。

ところが、これを知った主人が、管理人をほめるんですね。「お前は抜け目がなくて偉いぞ」というようなことを言って称賛する。いったい、この管理人のやったことのどこが立派なのか。どこが神の国にふさわしいのか。

橋爪　その話は、ルカによる福音書16章のたとえですね。借金を減額した部分は、取ることを禁じられていた利子だったので、それをなしにするのは正しい、という解釈もあるようです。でも、なんとなくふしぎな感じがのこる。

福音書のたとえは、人びとの常識を前提にしつつ、その根幹を揺さぶるように語られます。金銭の管理がしっかりしているべきで、横領や不正がいけないのは常識。でも、財産をむだづかいしていると嫌疑をかけられた管理人は、その先を考え始める。彼がしたのは、金銭の貸借関係を友愛に変換すること。隣人の借金を「赦す」なら、自分が「赦される」のではと考えた。

それをほめた主人は、金銭関係が支配する世の中がやがて終わると知っている。すなわち、ヤハウェです。だから、このたとえは、「神と富の両方に仕えることはできない」「不正にまみれた富で友人をつくりなさい」と結ばれている。終末論にもとづく行動は、世俗の倫理道徳を超越することをのべているのです。

大澤　うーん。それはちょっと苦しい解釈である気がしますね。自分の金を与えたのならこの管理人は偉いけれど、主人の金を利用して、恩を売っているわけですからね。会社から解雇されそうになったときに、会社の金を誰かに贈与して、その誰かにあらためて雇ってもらおうとしているようなものです。

まあ、この話はあまりにおかしいからか、あるいはルカにしか載っていないからか、とにかく、それほど論じられているのを読んだことがありません。

16 不可解なたとえ話2 ブドウ園の労働者・放蕩息子・九十九匹と一匹

大澤 次に紹介する「ブドウ園の労働者」というたとえ話はもっとずっと有名です。ブドウ園をもっている主人——これが神でしょう——が、自分のブドウ園で働かせるために、朝早く、日雇い労働者のようなものを探しにいく。そして、労働者Aを見つけて、一日働いたら一万円払うよ、と約束する。もう少し経ってから、また労働者のたまり場にいくと、仕事にあぶれている労働者Bがいた。主人はBも雇う。さらに昼頃にも、余っている労働者Cがいたので雇う。夕方になっても、まだ余っている労働者Dがいたので、これも雇う。

さて、一日の労働を終え、日当を支払う場面です。労働者の中には、Aのように早朝から働いていた者もいれば、Dのように最後の一時間くらいしか働いていない者もいる。ふつうに考えると賃金に差がつくのが当たり前ですよね。ところが、主人は、どの人に対しても、同じ一万円を払うのです。当然、Aは主人に抗議します。すると主人は、Aにこんなことを言うわけです。「おれは、一万円の日当と約束しただろう。約束通りお前に支払っているではないか。おれの金をおれがどう使おうと文句を言うな」と。

Aが文句を言うのは当然ではないか、たくさん働いた者と少ししか働いていない者が同額の賃金というのは、不公正ではないか。Aが相対的な剝奪感のようなものをもつのにはそれなりに理由があると思う。ところが、イエスは、これでいいんだと言うわけです。

橋爪 これは有名なエピソードですね。夕方雇い入れた人は一時間ぐらいしか働いていない。賃金を払う段になって、「後から雇った者から払ってやりなさい」と主人が言った。夕方雇い入れた者に一デナーリ（一日分の日当）が支払われた。それで、もっと長く働いた人びとは、あいつが一デナーリなら、自分たちはもっともらえると期待した。

大澤 当然そうでしょうね。

橋爪 そうしたら、みんな一デナーリだった。怒って主人に抗議すると、契約通りだから文句あるか、と言われた。主人は付け加えて、「私は夕方から働いた者にも同じように払いたいのである」、と言っていると思う。

ふつう、これをどう解釈するかというと、幼児洗礼を受けたりして子どものころからキリスト教徒である人と、大人になって信徒になった人、晩年に病床で「駆け込み」洗礼を受けた人の、誰が神の国にいくでしょう、というたとえだと考える。イエス・キリストは、どの人も同じように、神の国に招きたいのだと言っている、と解釈する。

大澤　なるほどね。

橋爪　そのことについて、幼児洗礼を受けて長年クリスチャンをやっている人が文句を言ってはいけない。それは主人の権限だから。

大澤　主人というのは神ですよね。

橋爪　そう。でも、いまみたいに解釈しなかったとしても、この話はなかなか意味深いものがある。

大澤　それのもっとひどいヴァージョンは「放蕩息子」のたとえですよね。これも有名な話ですから、ちょっと新約聖書を読んだことがある人はみんな知っていますけど。

父親に二人の息子がいて、生前贈与みたいな形で二人に財産をたくさん与えた。お兄さんはそのまま家にとどまって、その財産を元にしながら一生懸命働くんだけど、弟のほうは家を出て遊び呆けたあげく、スッカラカンになってしまう。お金がないので、もうブタの餌を食べて生きていくしかない、というようなところまで弟は堕ちた。それで、弟は、父親のところに帰れば、自分を使用人として雇ってくれるだろうと思って、戻ってくるわけです。

ところが、父親は、使用人として雇うどころか、いなくなっていた息子が帰ってきたと言って大歓迎、何年に一度のような大祝宴をするんですね。そこに、ちょうど畑仕事を終えた兄が帰ってきて、怒るわけですよ。「おれはお父さんの言うことを一度として裏切ったこともないし、一生懸命やってきた。それなのにおれのためにこんな料理をつくってくれたことはない。弟は自業自得で貧乏になったのに、いきなりこんなに歓迎されるなんて、あんまりじゃないですか」と。

するとと、父親は、「あの子は、いなくなったのに見つかった。死んだのに生き返った。喜ぶのは当たり前だろ」などと言うわけです。先ほどのブドウ園の主人の、「私はそうしてあげたいんだ」というのとよく似た論理だと思います。

ここでは、まじめに働いた人とただ怠けて遊んでいた人とで、後者のほうが歓迎されている。これも、正義や公正の論理に反していませんか。どこかの会社が放蕩息子方式で賃金を支払っていたら、まじめな社員はみんなやめちゃうか、誰も仕事をしなくなって、会社がつぶれちゃいますよ。

橋爪　それを凝縮しているのが、「九十九匹と一匹」の話ですね。

大澤　いなくなった羊の話ですね。

橋爪　九十九匹の羊を置いて、いなくなった一匹を探しに行くんです。で、それを見つけたときの喜びは、九十九匹の羊を忘れるほどだと書いてある。

神が人間を配慮するやり方は、人間の社会常識を超えている、ということなんです。神と人間の関係を、人間と人間の関係の類推で理解してはいけない、ということがこれらのたとえで共通にのべられている。

大澤 さっきの農園でのお金の払い方なんかもそうですよね。

橋爪 そうそう。迷える羊の話でも明らかですが、神は人間一人ひとりについて、誰がどこで何をしているか、よく知っている。神は、一人ひとりのためにカスタムメイドの救い方を考えるので、人間は、自分の救われ方を、他人と比べてはいけない。

大澤 まあでも、これを寓話として考えると、神に救われるだろうと思って一生懸命まじめにやっていた人と、最後の最後までかなり享楽的な生活をしていて、最後の一瞬だけ信仰に目覚めた人とで、どっちが救われるかわからないという……。

橋爪 神の目から見ればまったく同じ。と言うか、むしろ、それだけ神のことを忘れ果てていた人が、最後の瞬間に神のほうを向いたら、神はそれだけ喜ぶわけだ。ヘソ曲がりかな？

大澤 いや、それはそれで深く考えることもできますから、いいと思います（笑）。

17　不可解なたとえ話3　マリアとマルタ・カインとアベル

大澤　まだまだあるんですが、よろしいですか？　福音書の中ではすごく些細な箇所なんですけど、ここはいくらなんでもひどいと思うところが一つあって……。

橋爪　どうぞどうぞ。

大澤　それは「マリアとマルタ」の話です（ルカ10章）。

ある村で、イエスたち一行がマリアとマルタという姉妹の家に招かれた。で、イエスが来たというので、姉のマルタは一生懸命、接待の準備をしていた。ところが、妹のマリアのほうはイエスの話をただ聞いているだけ。マルタはだんだん腹が立ってきて、イエスに「マリアは私を全然手伝おうとしない」「一言、マリアに言ってやってください」と告げ口した。

そうしたらイエスは、マルタに「お前はどうでもいいことばっかり気にしている」「大事なことは一つだけだ、マリアはいいほうをとったのだ」などと言うわけです。あたかもマルタはよくないほうをとって、マリアはいいほうをとったかのように。

これはどうでしょう？　だって、自分たちを歓待しようと一生懸命やってくれている人に対して、イエスの言い方はいくらなんでもないでしょう。

一般的な解釈だと、マルタとマリアの姉妹は、日常のプラクティカルな生活と宗教的で観想的な生活とをそれぞれ寓話的に表現していて、イエスの話に集中していたマリアが後者で、マルタのほうは日常の瑣末なことに気をとられていた、とされています。でも、状況をすなおに見れば、こんな面倒な解釈をする必要はない。ここでイエスが言っていることとは、はっきり言って間違っているとぼくは思います。

勝手な推測ですが、こんな些細な出来事がずっと伝えられ、正典にまで書き込まれているということは、まわりで聞いていた弟子たちも当惑したからではないでしょうか。もちろん、弟子や福音書記者は、イエスが間違ったことを言うはずがないと思っているから、きっと何か深い意味があるに違いないと記憶と記録にとどめた。後世の信者は、なおのこと、正典に書かれた大事なことだからと思って、いろんな解釈をしてきた。

でも、ぼくのような信仰から自由な者が、人間イエスのここでの行動を虚心に見れば、そんなに深い宗教的な意味を読みとる必要はない気がします。これはさっきのいちじくの話と同じで、イエスの人間的な側面が出たところじゃないかな。マリアはたぶんかわいい子なんですよ。で、マルタがかわいいマリアをちょっといじめるようなことを言うから、イエスは「いいんだよ、この子はこれで」と言っただけ(笑)。どうですか?

橋爪　あのね、それは、マルタが怒ったからいけないんだ。

大澤　なるほど。

橋爪　マルタは炊事場で準備したり、水を汲んできたり、掃除したりしていることを喜びとしてやっていればよかった。そうじゃなくて、内心、マリアのほうがいいと思っていたんだよ。しかもそれをマリアに対する怒りとしてぶつけたんだ。もしも、イエスを本当に歓迎しているんだったら、マリアの役割とマルタの役割が両方必要だと理解できるから、自分の役割に満足したたし、そういうマリアに対する嫉妬の感情が出てくるはずもない。だから怒られた。

大澤　うーん、そうなのかもしれませんが、中世の大神学者マイスター・エックハルトが、この部分についてかなり立ち入った考察をしていて、それを読むと、彼もぼくと同じ違和感をもっていたことがわかります。もっとも、その後の対応が、ぼくとエックハルトは正反対なんですが。ぼくは単純に、イエスは人間的な誤りをしてしまったと理解した。イエスが間違えることなど思いもしないエックハルトは、ほとんど何を言っているのかわからないような、強引な解釈をしています。ほんとうはマルタがよいほうをとったのだ、とかなんとか。

橋爪　ここととよく似ているのは『創世記』の「カインとアベル」の話だな。

大澤　ああ、はい。

橋爪　楽園から追放された後、アダムとイブが夫婦になって子どもを生むでしょ。兄がカインで弟がアベル。で、働かないと生きていけないので、カインは農業を、弟のアベルは遊牧をすることにした。それぞれ、収穫に恵まれたから、初物を献げたんだけど、神はアベルの献げものを喜び、カインの献げものを喜ばなかった。それでカインはどうしたかというと、怒って、弟のアベルを原っぱに呼び出し、刺し殺してしまった。すると神は、カインを、殺人の罪で糾弾し、追放の罰を与えている。

この解釈なんですけど、神はなぜアベルの献げものを喜び、カインの献げものを喜ばなかったか、書いてないんです。ここは、読みようによってはたいへん理不尽に思える。ここは違和感なかったですか？

大澤　大いにありますよ。ただ、『創世記』の特に最初のほうは、おかしなことが次々に起こるので（笑）、がまんして読めるんですよ。もちろん、これはものすごくカインがかわいそうだと思います。親から愛されなかった子どもみたいなものですからね。心が痛みます。

橋爪　つまりね、人間には神に愛される人と愛されない人がいる。いていいの。それは受け入れなければならない。

だって、そんなことを言えば、健康の人と病気の人とか、天才とそうじゃない人とか、人間はみんな違いがあるでしょ。このすべての違いを、神は、つくって、許可しているわけだから。そうすると、恵まれている人間と恵まれていない人間がいることになって、それは一神教では、神に愛されている人と愛されていない人というふうにしか解釈できないんです。

そして、人間は必ず、自分より愛されている人を誰か発見するし、自分より愛されていない人を誰か発見する。これをいちいち、嫉妬の感情とか、神に対する怒りとして表明していたら、一神教は成立しないんですよ。ですから、そのことは絶対に禁じ手にするというふうになっていて、それを最初に示しているのがカインとアベルですね。その前はアダムとイブしかいなくて、男女なのでそういう違いは目立たないが、カインとアベルは男のきょうだい同士ですから。

大澤　そうですね。

橋爪　さっきのマリアとマルタも女のきょうだい同士じゃないですか。だから、二人は似ていて、でも仕事が違う。だからこれは、カインとアベルの物語の変奏だと思う。

大澤　まあ、人間には少なくともわからない理由によって、神に愛されたり愛されなかったりする。その究極の姿が第１部で話題になった『ヨブ記』の主題でもあるわけですけどね。それでもなおかつ、神をどうやって維持していくかというのが、一神教のひとつの重要な課題になる。

橋爪　そう、その状況で神のことが信じられないようなら、一神教なんて成り立たないんだ。

大澤　そのとおりですね。

橋爪　まあここは、イエスの話に耳を傾けるのが最大のもてなしだ、という単純な意味に解すればいいと思います。

18　キリスト教をつくった男・パウロ

大澤　さて、もう何度か言及されているけれど、まだ十分に主題になっていないのはパウロですね。実は、ぼくらはすでに、パウロが言ったこと、パウロのつくった教義を前提にしながら、キリスト教について論じています。

考えてみると、キリスト教をキリスト教にしたのはパウロであると言ってまず過言ではない。実際、新約聖書の大半はパウロが書いていることになっています。パウロがいなければ、キリスト教がひとつのシステムとして継承されることはなかった。だから、もし、あえてキリスト教に対して、伝統的な意味での教祖という言葉を使うとすれば、イエスよりもパウロのほうがそれに近いかもしれません。

しかし、パウロはペテロやユダなどと違って、最初からキリストに付き従った直弟子ではないんですよね。先ほどもすこしお話ししましたが、パウロはあるとき急に回心してキリスト教徒になった。それまではむしろ、徹底したキリスト教への弾圧派だったのに、ある日突然、考え方が変わって、今度はキリスト教を必死に擁護し、体系化していきました。

これも歴史的事実なんだからそうだと言うしかないのかもしれませんが、ふしぎな構成ではあります。

整理すると、まず、神の子か救世主のような人が登場した。その神のような人の横には、十二人も直接の弟子がいた。しかし、キリスト教という宗教を体系化するのに貢献したのは、その十二人の弟子ではなくて、後から入ってきたパウロだった、という構造です。パウロ自身は、生前のイエスに会ったことすらなかった。

橋爪さんはパウロという人物をどういうふうに見ていますか？

橋爪　パウロは、最初サウロという名前で、タルソという小アジアの町で恵まれたユダヤ人の家庭に生まれた。ヘレニズム世界に育ち、ギリシア語が堪能で、ローマの市民権を持っていた。知識人で、聡明で、でもどちらかというと口下手で、熱心なユダヤ教徒で、パリサイ派に属し、青年行動隊長みたいな役割で、新興勢力のキリスト教徒を片っ端から捕まえては尋問し、弾圧していた。彼のキリスト教についての知識は、こうした尋問を通じて得たろうと思います。

あるとき、パウロは、馬に乗ってエルサレムからダマスコに移動する最中、突然、イエス・キリストに「会って」しまう。目が視えなくなって馬から転がり落ちた。しばらくすると目が視えるようになって、洗礼を受けてクリスチャンになった（回心）。それから福音を伝える宣教の旅をして、残りの人生を過ごすのです。

大澤　パウロの回心は、何が大きな要因になったのでしょう。

橋爪　私の推測ですが、尋問しているうちに、自分よりもキリスト教徒のほうが、神に対する正しくて深い信仰を持っているのではという疑いが生まれたんだと思う。それはつらいでしょう？　尋問の正当性が問われるから。

そこで、意識できない深い罪責感と、自己処罰の感情が蓄積されて、それ以上その役目を続けられなくなった。でも、退くに退けない幹部だったので、無理に続けるうちに、爆発的な回心（転向）が生じたのだと思う。

大澤　新約聖書の構成は、まず四つの福音書があって、つづけて使徒行伝（使徒言行録ともいう）があり、ここまでは歴史の話です。このあと手紙が入っています。実際の成立年代は、橋爪さんがおっしゃったように、この並び順とは逆で、手紙のほうが歴史部分よりも古い。

手紙部分の冒頭には、「ローマ人への手紙」があるわけですけど、これはパウロが書いたもののひとつです。まあ意外に難しいんですよね。使徒行伝までは歴史の話ですから、出来事の順に物語になっていて、わりにスイスイ読めるんですが、そのあとの手紙類は読みにくい。

橋爪　まあ、論文ですね。

大澤　論文ですよね。

橋爪　パウロがなぜ手紙を書いたかというと、布教活動をしている最中に、拘禁状態になって、自由がなくなったんですけど、ローマの市民権を持っていたので、手紙が書けた。で、手紙をたくさん書いた。それがいくつか残っているのです。パウロは、内気で、風采があがらず、あまり雄弁ではなかったらしい。ほかにもっと口のうまい伝道者が大勢いた。この点は少し、モーセと似ている。

大澤　そうでしたね。モーセも口下手ですね。

橋爪　だけど、ものを書かせるとなかなかのものだった。口下手だから、文章力が上達したのかもしれない。

大澤　そういうパターンはいまでもよくありますからね。

パウロがいなければ、結局、イエスがやったことが教義にならなくて、そのときだけの出来事として終わったかもしれない。イエスの言動に含まれている論理を取り出し、意味づけたおかげで、この出来事が、歴史全体を規定する構造にまでなった。そう考えると、パウロの圧倒的な貢献というのを無視できません。

でも、こうしたことがなぜイエスの直接の弟子たちによってではなく、間接的な弟子によってなされたのでしょう？　なぜパウロという間接的な弟子のほうが、イエスに付き従って決定的な出来事をともに体験した直接の弟子よりも、圧倒的な冴えをもったのか。考えてみるとふしぎです。

橋爪　まず、十二人の弟子の能力があまりに低かった。

十二人の弟子のなかで、まあまともだったのは、ユダだったと思う。ユダは、金銭の管理もまかされているし、ほかの連中よりも学があった。と言うか、ほかの連中は学がなさすぎた。シモン（ペテロ）がいちおう弟子たちのリーダーということになっているが、漁師とか、まあふつうの人びとですね。

つぎに、言葉の問題があって、イエスと十二人の弟子たちはヘブライ語（ないしは、昔の説だと、ヘブライ語の方言であるアラム語）を話していた。ヘブライ語では、ヘレニズム世界の人びとに伝わらないのです。ヘブライ語を話すユダヤ人コミュニティのなかでしか活動できない。英語のできない日本人みたいな感じで、新興宗教をつくったとしても、世界に布教することができない。圧倒的な少数派のままである。ギリシア語がよくできたパウロは、いまで言えば英語がペラペラな国際派ですから、ヘレニズム世界にキリスト教を布教するチャンスがあった。初期教会では、ヘブライ語で活動する国内派と、ギリシア語で活動する国際派が、勢力を二分していたのですね。

そのあと、政治情勢の変化によって、エルサレムの活動拠点が奪われてしまったこともあって、キリスト教会は国際派、とりわけパウロの教義によって基礎づけられることになったのです。

大澤　当時のヘレニズム世界では、ギリシア語というのはインテリの国際共通語みたいなものでしょうか。ふつうの人もギリシア語がわかったんですか？

橋爪　ヘレニズム世界はギリシア語が共通語で、字が読めない人も、日常生活で使わないといけないから、教養のあるなしに関係なく、全員がわかるのはギリシア語しかなかったのだろうと思う。だから、教会でもギリシア語が使われていた。

大澤　なるほどね。ちなみに聖書では、パウロが実際に書いたのは何と何ということになるんですか？

橋爪　パウロが書いたことになっている書簡が大部分ですが、パウロの名を借りたものもある。ほんとうにパウロが書いた手紙は、その半分ぐらいらしい。

大澤　これは全部、歴史的にはわかっているわけですよね？

橋爪　「ローマ人への手紙」、「コリント人への手紙」などは確実にパウロの書いたもの。そのほか、どれがパウロの書いたものか、学者の意見はほぼ一致している。

大澤　本当のパウロのものと、パウロの気持ちで書いたものがあるわけですね。

橋爪　はい。

大澤　パウロの名によるものというのも含めて考えれば、半分以上パウロですもんね。

橋爪　そもそも、教会というものができたことが、パウロの最大の貢献ですね。

19　初期の教会

大澤　教会の話が出たところで、あとは第3部にまわしてもいいのですが、最後に初期の教会についてだけちょっとお聞きして、第3部へのつなぎにしましょう。

高校で世界史を勉強していれば、ローマのコンスタンティヌス帝が三一三年にキリスト教を公認し（ミラノ勅令）、三九二年にテオドシウス帝が国教化したことは知っているわけですけど、それはどういう経緯だったんですか？　はじめ、ローマ帝国はキリスト教を弾圧していました。それがいつの間にかローマの国教になった。この逆転は、どんなプロセスで起きたと考えればいいですか？

橋爪　初期キリスト教は、ヘレニズム世界でどう見えたのか。

ヘレニズム世界は宗教の百花繚乱で、ギリシアの神々、ローマの神々、そのほかの外来の神々がいっぱいあって、どの都市国家も宗教の混淆状態で、さまざまな神殿や何かがあった。キリスト教徒は、絶対にそれらの「偶像」を礼拝せず、異教と関係をもたないという点が際立っていた。ユダヤ教もその点は一緒だけれど、ユダヤ人コミュニティに閉じていたので、見えにくかった。キリスト教は、初めて公然と現れた一神教として、人びとに深い印象を残した。キリスト教は無神論だから、神を拝まないのだろうと言われていたほどです。

大澤　偶像がないわけですからね。神がないように見えた。

橋爪　はい。しかも、奇妙な儀式をしている。まあ聖餐式ですけれど、最初はほんとうに食事をしていたらしい。でもそれをすると、みなお腹を空かせてやってきて、教会の財政が大変なので、食事はやめになり、象徴的なパンとブドウ酒の儀式になった。教会には食事をすませてから来てください。教会は日曜日に集まる祈りの場で、ふだんはほかに社会生活の場をもっている。こういうキリスト教のスタイルができあがった。聖餐式は誤解されて、人肉を食べ血を飲んでいると言われたこともあります。

ユダヤ教のシナゴーグは、男女別々に着席する。イスラム教のモスクもそう。でもキリスト教の教会は、男女いっしょに座る。女性はベールを被ることになっていた教会もあった。ベールは、ふだん外せるので、ずっと被っているムスリムとは少し違う。ムスリムは服装規定があるので、外見からムスリムだとわかりますが、キリスト教徒は服装ではわからない。イスラムは時間を決めて集団で祈るから、信仰が観察可能ですけれど、キリスト教徒は扉を閉めてこっそり祈る。いつ祈るかは個人の勝手でわからない、というふうになっていました。

そのうち、ローマ帝国の弾圧の標的になります。皇帝崇拝を拒んだなどの理由で、捕まって、ライオンに食べさせられたり、目の敵にされた。しかしそのうち、ローマの有力者がキリスト教に改宗したりするなどして、弾圧するよりも、ローマ側から見て利用できるものになったんですね。

大澤　そうやって、今度は公認の宗教になっていくわけですね。

第3部では世俗の権力と宗教の関係ということも含めて、イエスが死んだあと、キリスト教が後世にどういうふうにインパクトを残していったか、ということについて考えてみたいと思います。

第3部　いかに「西洋」をつくったか

1　聖霊とは何か

大澤　キリスト教は成立後、いろんな形で社会に浸透し、人びとに影響を与えながら、言ってみれば「西洋」をつくっていきました。しばしば言われる「グローバリゼーション」も含めて、近代化というのは、見方によっては地球的・人類的な規模の西洋化みたいなところがあります。ですから、西洋世界というものがいかにつくられたかを知ることは、現代を知るうえでも最も重要なカギになる。その西洋世界の根幹にキリスト教があったのは明らかです。

第3部では、キリスト教がどのようにして西洋世界をつくっていったかについて、重要な断面をいくつか切り出して考えてみたいと思います。ただ、これは非常に難しく、大きなテーマです。そこでまず、ローマでキリスト教が国教化された後の展開から考え始めましょう。

イエスの死後、何百年か経ってから、キリスト教には三位一体という教義が出てきます。これはキリスト教の非常に特徴的な教義ですね。

教科書的なことだけ言っておくと、「三位」というのは何が三位かというと、「父なる神」と「子なるキリスト」と、それから「聖霊」ですね。この三つが三つにして一つであるというのが「三位一体」の主張なんですね。

ちなみに「聖霊」という言葉は聖書の中に出てきます。しかし、これら三つの関係については、聖書には何も書かれていない。でも、キリスト教というものを首尾一貫して解釈するには、「神」と「キリスト」と「聖霊」の三つの関係をはっきりさせなければいけない。その解釈のひとつとして、それらは三つにして一つであるという説が出てきた。ほかにもいろんな説があって、どれが正統か異端かをめぐってときに血なまぐさい争いもあったわけですが、最終的にはこの三位一体が正統教義とされました。

もう少し解説すると、三位一体は、本来はギリシア語で次のように表現されていました。「三つはウシア（実体・存在）としては一つだが、ヒュポスタシス（ラテン語ではペルソナ、日本語では「位格」と訳される）としては三つだ」と。実体としては一つ、でも位格としては三つ……これはようするにどういうことなんですか？

イエスが神なのか人なのかをめぐっては、第2部で議論しましたが、さらに新しく聖霊まで出てきた。三位一体という教義について、橋爪さんのお考えを聞かせてください。

橋爪　わかりました。ただ、問題が大きいので、いくつかに砕いたほうがいいと思う。まず、聖霊とは何か。それから、キリスト教に独特の、公会議とは何か。これを入り口に、三位一体説について考えましょう。

大澤　そうですね。三位一体説は公会議によって正統解釈と決められた。公会議とはキリスト教会のサミットみたいなものですが、たとえば仏教の公会議というのはありません。いったいどういう必然性があってこのような会議が開かれるのか、これも押さえておかなければなりませんね。

橋爪　まず、聖霊は、使徒行伝に出てくる。

イエスが十字架で死にますね。金曜日のお昼ごろに苦しくなり、午後三時にいよいよいけなくなって、まもなく命が絶えるんです。金曜日の午後三時は、日没から土曜日（安息日）が始まってしまいますから、あまり時間のないタイミングだったので、急いで空いていた墓穴にほうりこみ、大きな石を転がしてふたをして、みんな帰った。土曜日はまる一日休んで、日曜日に戻ってみたら、墓はからっぽで復活していた。

復活したイエスに、ガリラヤ地方に行ったら会えるというので、そちらに行くと、弟子たちのところにイエスが現れた。それから、天に昇って行った。だからいまは、天にいます。

人は天に昇るものなのか。エリヤが火の車に乗って天に昇って行った前例がある。けれど、復活して天に昇ったのは、イエスが初めてです。

天に昇ったあと、また降りてくるのですが（再臨）、それは終末のとき。いつかはわからない。そのときまで、イエス・キリストと連絡が取れない。

ヤハウェは、自分の意思を伝えるのに、預言者や、イエス・キリストを遣わしたわけですけれど、イエス・キリストが出番を終わって退場したあと、もう預言者が現れることはできない。預言者は、イエス・キリストの出現を預言していたわけで、もう用済みだ。そうすると、本当になにもない時代になるんです。ただ、福音（イエス・キリストの言葉）だけが、書物のかたちで残った。人びとは終末の日まで、これで我慢するしかない。

そうして取り残された人びとと神との、唯一の連絡手段が、聖霊です。

聖霊は、昇天したイエスの代わりに、弟子たちが集まっているところに降りてきて、炎みたいになったり、彼らに入り込んで特別な状態をつくり出したりした。ユダヤ教にも預言者が「霊に憑かれる状態」があったけれど、キリスト教ではそれが聖霊になった。

聖霊が宿ると、人間はさまざまなことができる。たとえば、外国語を話しだす。弟子たちが、酔っぱらっているんじゃないかと聴いてみると、知らないはずの外国語をしゃべっていた。聖霊はときどき、重要なことを教えてもくれる。宣教旅行中のパウロが、小アジアでこっちに行こうとしたら、聖霊がルートを変えなさいと教えてくれた。これはパウロの第六感かもしれないし、パウロが関わっていた諜報組織の友人が情報をこっそり教えてくれたのかもしれない。こうしたはたらきがみな、聖霊です。

信徒が集まっているところには、私もいると思いなさい、とイエス・キリストが語っていた。でも、イエス・キリストはいなくて、代わりに聖霊がいる。ともかく、使徒行伝には聖霊の記述がある。聖書にそう書いてある以上、キリスト教徒は、聖霊が存在すると考えないわけにはいかない。

大澤　でも、聖霊のイメージは、ちょっとわかりにくいですね。

神やキリストを媒介にして信者同士がお互い以心伝心でつながっていく感じとか、あるいは、インターネットのネットワーク的なものをイメージすればいいですか？　なんとなくこの場にある空気とか雰囲気というのも、聖霊に一脈通じるものがあるのではないか、と思うときもあります。

イエスは、信徒が集まっているとき、私がそこにいると思いなさいと言っていた。そして、それこそが、聖霊がある状態だとすると、聖霊とは、まさに信徒のつながりや共同性を、信徒なりに解釈したものではないか、と考えたくなるのですが……。

橋爪　聖霊は、大澤さんの言うように、ネットワークや相互感応みたいな作用なのだけれど、日本人におなじみの、空気や以心伝心とは違う。どう違うか。聖霊はひとつしかない。それは神からのものである。人と神とをつなぐのが聖霊で、人と人とは結果的につながれるにすぎないんですね。ここが大事で、聖霊のはたらきは垂直方向なんです。なぜ聖霊が必要かというと、パウロの書簡を、神の言葉（聖書）にするためです。パウロは生前のイエスと会っていないし、復活のイエスとも会っていない。旅の途中で幻を見ただけ。でも彼は、使徒を名乗って、回心したあと、たくさんの書簡を書いた。各地の教会にあてた手紙です。

ふつうに考えれば、これが神の言葉か、ただのパウロの手紙じゃないか、という問題が起こる。

これは、福音書がイエス・キリストについての証言であるのと、違った性質の話です。証言なら、それを人間が書いたとしても、証されているのは神だから、神の言葉とみることができるじゃないですか。でも手紙は、証言ではない。それは、考えなんです。イエス・キリストをどう考えたらよいかという、パウロ個人の解釈を述べている。解釈は人のものでしょ？　人の言葉は、そのまま聖書にはならない。

そこで、パウロの手紙は、実はパウロの考えではなくて、パウロをそう考えさせた別のものの言葉でなければならない。パウロをそう考えさせたのは、聖霊なんです。聖霊がはたらいてパウロを考えさせ、パウロの手を動かし、字を書かせた。

大澤　自動筆記みたいな感じですね。

橋爪　パウロを器として使っているんですね。キリスト教のロジックでよくあるが、何にせよ「聖霊のはたらきによって」と言うわけです。パウロの場合は、聖霊のはたらきが特に顕著なので、聖書に組み込まれている。

イエス・キリストについての「解釈」が、聖霊（つまり神）の権威によって、聖書に組み込まれているところが、新約聖書の特徴です。そもそも聖書が、解釈なんです。こういう現象は、旧約聖書やクルアーンにはない。

2　教義は公会議で決まる

橋爪　こうやって、聖霊を通じて書簡が聖書になってみると、その聖霊と、イエス・キリストや父なる神との関係を考えなければなりません。

イエス・キリストが神の子かどうかをめぐっても、いろんな議論がありました。それとからんで、聖霊との関係も議論になった。パウロの書簡にも、この関係がはっきり書いてあるわけじゃない。

一神教の特徴は、「人間のもの」と「神のもの」を厳格に区別する。そして、「人間のもの」に権威を認めないことです。ところが、どうしてもある「解釈」（人間のもの）を下さないと教会が集団としてまとまらなくなる。ではどうする？　聖書の編纂はすんでいるし。

そこで考えられたのが、公会議です。

これは、各地の教会の指導的立場の人びと（主教）がみな集まる会議で、キリスト教の正しい教義（ようするに、解釈）はなにかを議論する。そして、結論を出す。議論が分かれた場合は、多数派が正しいとされ、「正統」になります。少数派は多数派に従わないと、「異端」として教会から追放されてしまう。キリスト教会はこれを、何回も何回も繰り返したんですね。

なぜこんなことができるかというと、公会議に、聖霊がはたらいているからです。人間が集まって下した結論（どの解釈が正しいか）でも、解釈を超えたものになる。公会議の決定には、すべての信徒は従わなければならない。これがキリスト教の習慣です。

三位一体説も、そうやって決定された。学説としては問題が多く、有力な反対意見も多かったんですけど、すったもんだの末、三八一年の、第一回コンスタンティノープル公会議でほぼいまのかたちに決定された。

公会議は、全部で（いろいろ数え方があるが）七回開かれた。重要な公会議は、三位一体説を決定した第一回ニケア公会議（三二五年）と第一回コンスタンティノープル公会議

（三八一年）、キリストの神人両性を決めたエフェソス公会議（四三一年）とカルケドン公会議（四五一年）などですね。

大澤　ちょっと細かいことですが、イスラム教では、最も重要な法源であるクルアーンでも、その次に重要な法源であるスンナ（ムハンマドの言行）でも、どちらでも決められないとき、イスラム法の大学者たちが話し合うイジュマーというものがあります。このイジュマーとキリスト教の公会議とは似たようなものと考えていいんですか？

橋爪　だいぶ性格が違います。公会議では、意見の対立があるから、それを決着するんです。イスラムのイジュマーは、全員一致でなければ決定できない。もしも、意見の違いがあれば、多数であっても少数であってもそれは人間の意見であって、神のものではないことになる。ゆえに、どちらをとったとしても間違い。多数決はないんです。でも公会議は多数決。多数決ですらない場合もある。

大澤　なるほどね。そうすると、イジュマーと公会議の対比は、イスラム教とキリスト教の違いを象徴していますね。

　キリスト教の場合、第2部で確認したように、福音書の間にすでに不一致があります。神は単一ですが、それを経験した人間の視点や見解には多様性があって、そうした違いは聖典である新約聖書の中に孕まれている。

初期キリスト教の歩み

28	イエス伝道開始
30 頃	イエス処刑
50	ユダヤ教徒とキリスト教徒、ローマ追放
51〜57	パウロの伝道
64	ネロ帝の迫害。パウロ殉教
70	エルサレム滅亡
70〜100 頃	共観福音書、成立
100 頃	ヨハネ福音書、成立
180 頃	『新約聖書』成立
303	ディオクレティアヌス帝の大迫害
313	コンスタンティヌス帝、ミラノ勅令でキリスト教を公認
325	第1回ニケア公会議 （キリストを神と同一視するアタナシウス派が正統とされ、キリストを人間であるとするアリウス派は異端とされた）
375	ゲルマン人、大移動開始
381	第1回コンスタンティノープル公会議 （三位一体説が正統教義になった）
392	テオドシウス帝、キリスト教を国教化
395	東西ローマに分裂
431	エフェソス公会議 （キリストの神性と人性を分離して考えるネストリウス派が異端とされた）
451	カルケドン公会議 （キリストは神性と人性という二つの本性をもつと考える両性論が正統とされ、単一の性であるとする単性論が異端とされた）
476	西ローマ帝国滅亡

一方、イスラム教の場合は、ムハンマドがほぼ直接、神の言葉を受け取っているから、聖典であるクルアーンに多様性や多義性は入りようがないし、入ってはならない。スンナに関しても、それが伝承されてきた経路を正確に確定したうえで、内容を一義的に決定しようとする強烈な意志がイスラム教にはある。イスラム法の場合には、意見の不一致は本来ありえないことで、それ自体、スキャンダラスなことなのでしょう。だから、少しでも法の解釈に不一致がある場合には、結論が出せない。

しかし、キリスト教では、公会議でさまざまな意見が出るのは当たり前のことです。つまり、不一致があるということをあからさまな前提にしながら結論を導くのではないかと思います。

だからといって、キリスト教が、さまざまな解釈や意見に対して寛容かと言えば、そんなことはありません。むしろ逆です。多数派の見解が正統ということになるわけですが、ようは政治的な駆け引きに近いものによって、最も力ある者の見解が正統解釈とされ、教義として定着する。これと異なる見解は異端だということになる。

正統として勝ち抜いた教義のなかで、最も重要なものが三位一体説です。でもまあこれは、いつまでも何を言っているのかよくわからない説でもあります。

父なる神・子なるキリスト・聖霊の三つが、異なる超越的エージェントということになってしまうと、一神教の根本原則が崩れてしまう。だから、これらは一つでなければならない。でも、それぞれに役割があるのも事実で、必要不可欠である。では、三つであることと一つであることとをどうやって両立させるか。そこから出てきた、苦肉の策のような結論が、三位一体説ではないか、と思います。言うまでもなく、同じ一神教であるユダヤ教やイスラム教では、こんな問題は出てきようがありません。

3　ローマ・カトリックと東方正教

大澤　さて、ここまで「キリスト教」と一括して呼んできましたが、ほんとうは大きく二つの流れがあることを押さえておかなければなりません。

日本人がキリスト教についてイメージするときに、どちらかというと中心にあるのは、カトリックですね。これは、ローマを中心とするキリスト教、西ヨーロッパで繁栄したキリスト教です。十六世紀になると、プロテスタントというものが出てきますが、それは「カトリックにプロテストする者」という意味ですから、広い意味では、カトリックの流れの中に含まれます。しかし、これとは別に、東側のキリスト教、正教（オーソドクシー）と呼ばれるキリスト教もある。

「西洋」を理解するというぼくらの目標との関係では、どうしてもカトリックの系列を主に論じていくことになりますが、その前に、カトリックとは別に正教があることをきちんと理解しておきたい。

いったい、どうしてローマ・カトリックと東方正教に分かれたのか。両者はどう違うのか。これらの点を、少し説明していただけますか。

橋爪　キリスト教には、相反する二つの組織原理があるんですね。

ひとつは、みな平等だという考え方です。神の前でみな平等なんですから、人間は互いに平等なんです。そこで、組織のなかの上下関係（ヒエラルキー）をなるべくつくるまいとする傾向がある。

もうひとつ、これと逆の論理は、統一を重視する。そのため、ヒエラルキーのある組織をつくる。

どちらも行き過ぎると、キリスト教的でなくなるので、両方を巧妙に組み合わせる。で、教会のヒエラルキーはどうなったかと言うと、まず、各教会に長老がいて、それから主教がいて、その上に、地域を束ねる大主教がいて、それからそれらを束ねる総主教がいて……というふうになっている。これは、ローマの軍隊をまねしたものだと言われている。

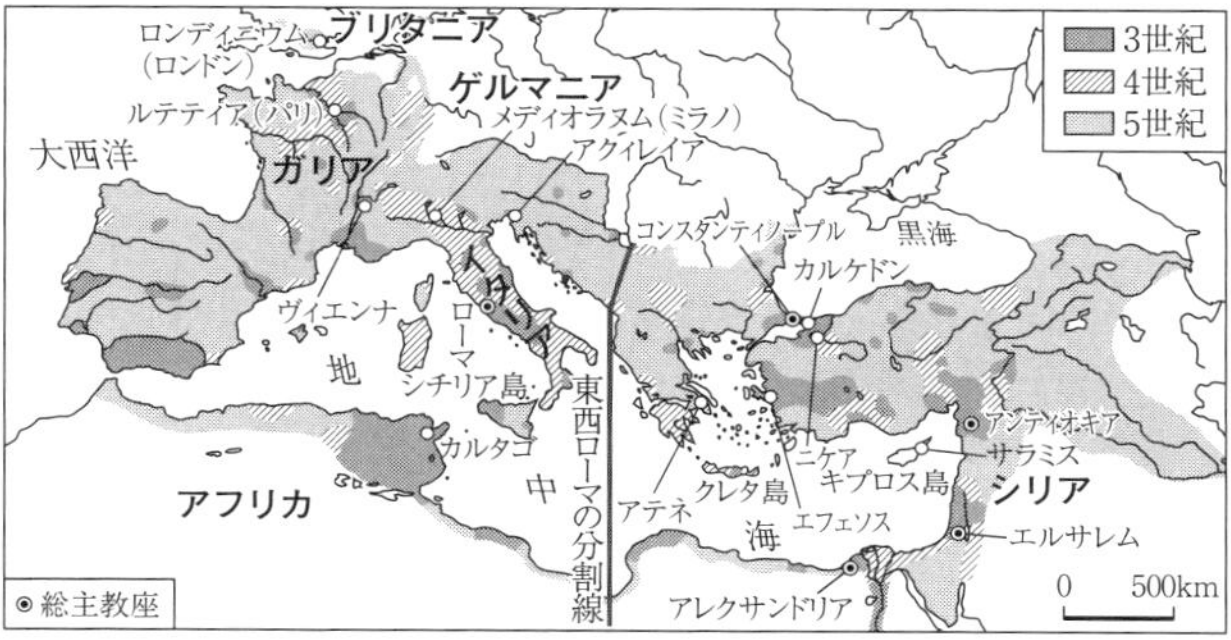

キリスト教の伝播

この総主教がいる場所（教会）が、総主教座と呼ばれていて、最初は五つあった。エルサレム、アンティオキア、アレクサンドリア、コンスタンティノープル、そしてローマ。このうち、最初の三つはまもなく開店休業になって、コンスタンティノープルとローマの二つだけになってしまうわけです。総主教座の下にはたくさんの教会があって、さまざまな解釈を行なっていた。そこで、全体会議を開いて、正統な教義を決めていたのでした。

さてこの会議に、代表権をもつのは主教です。各地から主教が何百人と集まる。そして対等に、議論を行なうんですね。平等を重視する原理も、いちおう残っている。

こうした会議に参加しないか、会議の結論を認めないか、会議で異端として追放されたかしたキリスト教の分派が、多くあります。たとえばアルメニア教会は、カルケドン公会議に参加しなかったので、通常の三位一体説をとっていません。

東方教会（ギリシア正教）と、西方教会（ローマ・カトリック）は、こうしたマイナーな教会や異端グループとは異なって、キリスト教会の本流です。全部で七回開かれた公会議の内容をすべて承認しており、それに照らして正統と認められている。この意味で、東方教会と西方教会は違いがない。

東方教会と西方教会が分裂したのは、スポンサーであるローマ帝国が、テオドシウス帝の死後、東西に分裂したからです（三九五年）。分裂してしばらくすると、両教会合同の公会議が開けなくなった。道中の警護や経費の負担ができないからです。公会議が開けなければ、解釈の違いを調整する方法がない。そこで、両教会の解釈がしだいに喰い違っていって、合同できなくなり、やむなく別々の教会になって、今日に至っているのです。「正統」教会も「カトリック」教会も、「本物」の教会の意味。温泉まんじゅうの「元祖」と「本舗」のようで、どっちがほんものかわからない。

では、実質的にどこが違うか。

まず、典礼の言語です。教会で何語を使うか。東方教会はギリシア語を、西方教会はラテン語を使った。ほかに、イコンやそのほか、いくつかの重大問題で解釈が異なった。さらに東方教会は、ヴェーバーのいうケザロパピズム（皇帝教皇主義）、すなわち、政治的リーダーと教会のトップとが一致する体制をとったので、特異な発展をした。

それから、東方教会は、新しい地域に布教するのに、その地域の言語を典礼に採用したので、つぎつぎに教会（総主教座も）が分裂していった。ロシア語を使うロシア正教会、セルビア語を使うセルビア正教会、という具合です。これは、ラテン語以外認めず、カトリック教会を分裂させなかった西方教会の行き方と反対です。西方教会は、「ひとつの教会＋多くの国家」の体制、すなわち、西ヨーロッパ世界の土台をつくりました。

大澤　うかがいながらひとつ気になったのですが、ローマ教会がラテン語を採用したのは、なぜなんですか？　東方教会がギリシア語を採用したのは、よくわかるんです。だって、新約聖書はギリシア語なんだから。

ところが、ラテン語については、ラテン語でなければならない理由はとくにないような気がします。とくにそれが優れている根拠は、聖書からは出てこない。

ローマ教会がラテン語を使ったので、結果的には、西洋では長い間、ラテン語が学問的な言語となりました。たとえば、近代哲学の起点としてよくその名を挙げられるデカルトの『方法序説』は、フランス語で書かれてはいますが、その中心的な命題は、「コギト・エルゴ・スム」とラテン語で唱えられることのほうが多い。デカルトとパスカルの往復書簡のほとんどは、ラテン語で書かれているそうです。ですから、ラテン語の権威は、近代の入り口まで及んでいるわけです。

しかし、考えてみると、そもそもなんでローマ教会がラテン語を使ったのか、よくわかりません。

橋爪　本来なら、ギリシア語であるべきですね。

大澤　そのとおりだと思います。

橋爪　ヘレニズム世界の共通語はギリシア語なんですから。

けれども、西方ローマ教会は、ローマ帝国と深い関係をもった際に、教会の言語をラテン語にしてしまった。聖書も、ウルガタ訳というラテン語の聖書を使った。

キリスト教はイスラム教と違って、聖書が翻訳でも構わないのです。

その事情を言うと、イエスが話していたのは、ヘブライ語だった。イエスはギリシア語ができなかった。いっぽう、パウロは書簡を、ギリシア語で書いた。新約聖書は、福音書も書簡も黙示録も、全部ギリシア語で書かれた。福音書が伝えるイエスの言葉は、だからみな、ギリシア語への翻訳。福音書ははじめから、神の言葉の翻訳だと考えてもよい。それなら、それをまたラテン語に翻訳しても、ばちは当たらない。ラテン語は、ローマ帝国の西側に広まっていた。そこの人びとにとって、カトリック教会がラテン語を使ってくれるのは、便利でありがたかったのではないだろうか。

大澤　なるほど。でも、何語でもよい、ということにはならず、ラテン語でなくてはならない、ということになったのがおもしろいですね。十六世紀にルターが聖書のドイツ語訳をつくったのは有名ですが、それまでの西ヨーロッパの聖書は、基本的にはラテン語だった。逆に、さきほど説明してくださったように、新約聖書のギリシア語にこだわった東方正教は、布教の際に、その地域の言語を典礼に使ってもよいことにした。

余談ながら、ローマ・カトリックがラテン語を中心においたため、西ヨーロッパの知識人は、ややギリシア語が苦手なんですよね。それで、中世の後半になって、アリストテレスやプラトンが再発見され、影響を与え、キリスト教神学も発達するわけですが、西側の知識人がギリシア語がいささか苦手であるということが、いろいろ弊害になることもあった。ちょっと特異な発展をしたんですね。

4　世俗の権力と宗教的権威の二元化

大澤　本筋に話を戻しましょう。

キリスト教が東と西とに分かれたのは、ローマ帝国の分裂と並行したものでした。この対談の主題、つまり近現代を規定した主要な因子としての西洋という主題との関係では、西側のキリスト教（カトリック）のほうが関心の中心になります。今日ふりかえってみると、それだけ、西側のキリスト教が定着した地域の文化の歴史的な影響力が圧倒的だったわけです。

しかし、その地域がはじめから先進国だったかというと、必ずしもそうではない。ローマ帝国の東西分裂後、西ローマ帝国は百年ともたずに滅亡してしまいます。一五世紀半ばまで、千年以上存続した東ローマ帝国（つまりビザンツ帝国）とは対照的です。例のゲルマン民族の大移動があったりして、あっという間に、この地域の政治的な統一性はなくなってしまったわけですね。いちおう神聖ローマ帝国というのがあったりもしましたが、政治的な実質はあまりない。ですから、西ローマ帝国消滅後のあの地域は、政治的にはバラバラです。

それなのに、この地域が独特の文化的・文明的な統一性をもっていて、それが明確な影響を残しつづけているのは間違いありません。わかりやすい例をひとつ挙げれば、ＥＵですね。ＥＵの最初からの構成国で、現在でも中核をなしている国々は、ほぼ西ローマ帝国のあった場所にある。ＥＵは、西ローマ帝国の跡地につくられたようなものなのです。その意味で、西ローマ帝国は今日までその存在感をとどめていると言っていい。

それでは、西ローマ帝国がかつてあった地域（カトリックが普及した地域）にはどのような特徴があったのか。

ぼくは、世俗の政治権力と宗教的な権威がきわめて明確に二元化していることだと思います。ローマ教皇は政治的な権力を握らず、別に世俗の権力者がいた。最も重要なのはいちおう神聖ローマ皇帝ですが、ほかにも王様や封建領主がいて、中世においてはそれらが群雄割拠しています。

そして、世俗の権力と宗教的な権威とは、あまり仲がよくない。神聖ローマ皇帝がローマ教皇に破門されて困ってしまったり、あるいは、皇帝のほうが強くて、教皇を軟禁しているようなときがあったり……。こんなややこしい関係になっているのは、両者が基本的に独立していて、勝手に自分の影響力を高めようとしているからです。

このように、西ヨーロッパ（カトリック）では、世俗の権力と宗教的な権威とがはっきりと二元化していました。それに対してビザンツ帝国では、先ほどおっしゃっていたように、教皇がすなわち皇帝であって、両者が統一されているんですね。ついでに言えば、イスラムでも両者は統一されている。一元性がはっきりしているんです。

なぜ西側のキリスト教地域でだけ、世俗の権力と宗教的な権威がはっきり分裂し、二元化していたのでしょうか？

橋爪　まず、ローマ帝国が健在で、キリスト教会がまだ弱体であった時期には、政治権力と教会とは、対立していたわけです。皇帝は必ずしもキリスト教徒ではなかった。異教徒だけれど皇帝は権力があるから、教会はそれに従わなければならなかった。政治と教会はいやおうなく、分離していたのです。

そのあと状況が変化して、キリスト教徒が多数派になった。皇帝もキリスト教徒になった。そこで、いくつかの可能性が出てきた。ローマ帝国が分裂したあと、東側では、皇帝と教会のトップが一緒でいいではないかという考え方になったのですが、西側は帝国そのものが解体してしまったので、その選択肢はなくなった。だから、ローマ教会は、政治権力の後ろ楯なしに当面頑張るしかなくなって、東側とは違った運命をたどることになったのですね。そのあと、ゲルマン民族がキリスト教につぎつぎ改宗していくわけです。

ところで、八木雄二さんの『天使はなぜ堕落するのか』(春秋社)は読みました?

大澤　ええ、読みました。

橋爪　八木さんが強調していたけれども、西ヨーロッパで人びとが、キリスト教に改宗する以前に信じていたのは何かというと、ドルイド教である。ドルイド教はもともと、ケルト人の宗教で、ケルト社会で、ドルイド教の祭司たちの社会的地位はきわめて高かった。そのように、宗教の権威を認めていたので、キリスト教に改宗しても、王たちが聖職者や教会関係者をことのほか尊敬し、優遇する素地があった。たとえば、アイルランド。アイルランドはケルト人が住んでいて、イングランドなどより先に改宗し、早い時期にキリスト教が定着しているのですけれども、それはそういう事情と無関係ではない。

ゲルマン民族も、ドルイド教に影響された。ゲルマン民族は、政治権力が強く、王の命令で部族をあげて、一夜でキリスト教に改宗してしまったりした。王の命令でクリスチャンになるのだから、お前は司祭、お前は神父、と王が任命する。そして教会を建て、十字架を掲げたものの、なにをどう拝んだらよいのか皆目わからない。そこで、改宗以前の要素(たとえば、樹木崇拝、小人、妖精……)がかたちを変え、キリスト教に入り込んだ。キリスト教がほんとうにキリスト教らしくなってきたのは、もっと何百年も経ってからだったのです。教会は実体がなく、王権に従属しているので、ローマの教会からみると、まともではない。そこで、せめて司教や神父を任命する権利ぐらい、ローマ教会のものだと認めろという、聖職叙任権闘争なるものが起こった。それぐらい、西側世界で、教会は弱体だった。

ところがそのあと、西ヨーロッパでは、封建制という独特な社会が形成される。

ローマ帝国が根拠とした地中海沿岸と、ゲルマン民族が定着した北方とでは、農業基盤がまったく違う。地中海沿岸では大規模農業で、オイコスみたいな、奴隷労働の大土地経営だった。それは帝国とともに、解体していく。北方は、森林地帯で、定着したゲルマン人は小規模の家族経営で農業を営み、それを支配する小領主が土地を基盤に主従のネットワークをつくる封建制をうみだした。教会も土地を寄進されて領主となり、政治権力に対抗する実力をそなえた（このあたり、じつは日本の、荘園貴族と寺社勢力と武士のネットワーク形成と並行していて、興味ぶかいところです）。修道院も多く建てられた。教会や修道院は国王の税を免除されたうえ、旧約聖書に定めのある十分の一税を納めろと主張したのです。十分の一税はユダヤ教の制度なので、よく考えると奇妙だが、気にしない。こうして、王権と教会が共存する西ヨーロッパ社会の骨格ができあがった。政教分離というよりも、併存ですね。

大澤　なるほどね。

いま、ポイントを押さえて説明してくださったキリスト教の浸透の「過程」と、キリスト教が現在に至る大きな影響を残したという「結果」とを対比すると、疑問の核心が自然と浮かび上がってきました。

西側のキリスト教はとりあえず政治的な実体を持たなかったんですよね。たとえば、イスラムであれば政治的実体と宗教とが両方あって、宗教が政治的実体によって守られていく。キリスト教もローマに国教化されたときは少しそんな雰囲気になったけれど、東西分裂後、西のほうは肝心の後ろ楯があえなく倒れてしまった。スポンサーがいなくなっちゃったから、キリスト教なのかどうなのかよくわからないようなものがいっぱい生まれたわけだし、教会が聖職者の人事権すら握るのに苦労するほど弱体化したわけですね。

これは常識的に考えると、その宗教を人びとに伝えるに足る、現実的なスポンサーがいないわけですから、きわめて不利な状況です。たとえば、観念だけあって政治的実体を持たなかった場合には、社会的な影響力を失っていくことのほうが多いと思います。

それなのになぜ、政治的な権力を持たなかった西側の教会は、最終的に影響力を残し続けることができたのか。

橋爪　キリスト教会は、ローマ帝国でいちど特権的な地位を認められ、うま味を知ったあとだったので、ローカルな弱小王権に服属するなんてとんでもないと思った。そこで、それら弱小王権に呑み込まれないで、教会の統一と独立を保つことに全力をあげた。ゲルマンの王権は、野蛮で、文化的に遅れていたので、ローマ帝国の遺産を受け継ぐローマ教会は利用価値があった。

教会がとった戦略は、まず、典礼言語をラテン語に決めて、絶対譲らず、ゲルマンのローカルな言語を使うことを認めなかったことです。彼らは文字をもっていなかったので、ちょうどよかった。ローカルな言語を使えば、ローカルな民族教会になってしまったでしょう。典礼をラテン語にしていれば、どんな学力のない僧でも、ちょっとはラテン語ができる。すると、商業とか、外交とか、いろいろな情報伝達に有利である。そこで、政治権力にとって利用価値が出てくるんです。こうした利点は、教会が分裂せず、ひとつの組織を形成し、政治的な勢力圏を超えてネットワークを構築できているからこそ発揮される。これが、教会が存続した大きな理由のひとつだと思う。

つぎに、政治権力に介入するには、一神教の論理がとても大事になると思う。神の恩恵と救済がないと、人間は生きていけない。そこで、終末の教義を脚色して、悪魔とか地獄とか、煉獄とか、教会だけがイエス・キリストの代理として人びとを救うことができるとか、宣伝した。そのための手段（救済財）が、教会にそなわっているとした。政治権力を上回る、人間の救済に関する権限が、教会にあるというわけです。

そして、結婚にも介入した。結婚は本来、世俗のことがらで、キリスト教と関係なかったんですけども、教会は何百年もの長い時間をかけて、それを秘蹟（サクラメント）だということにした。教会が認める結婚が、正式な結婚になった。主権者である神の許可によって、結婚できるというわけです。どういうふうにこれが政治力になるかというと、封建領主の権力基盤は土地で、それを相続するでしょう。相続権は、正しい結婚から生まれた子どもに与えられることになっていったから、教会の協力がないと、封建勢力はみずからを再生産できない。世代交代のたびに、教会にあいさつが必要になる。王位継承や土地相続のたびに、教会に介入のチャンスが生まれる。これが政治的パワーになった。

教会の聖職者は、独身なので、相続の問題は起こらない。家族や血縁と無関係に、西ヨーロッパ全体をカバーする官僚機構を構成できた。その有力メンバーは、封建領主層からリクルートした。この点も、日本の寺社勢力と似ているのですが、所領を分割相続しないですませるため、余った男子を、ちょっぴり所領をつけて、教会や修道院に押し込んでしまうことができる。こうして教会と封建領主は、持ちつ持たれつの二人三脚の関係を構成できた。

5 聖なる言語と布教の関係

大澤 ローマ教会は典礼言語をラテン語に限りました。つまり、ラテン語が「聖なる言語」であったわけですね。世界宗教は、このような文字で表記できるような聖なる言語をもっています。「聖なる言語」は、神の超越性の表現のようなところがある。

ところで、聖なる言語と布教について考えてみると、対照的な二つの戦略があるように思います。

ひとつは、聖なる言語にあまりこだわらず、現地語（俗語）を積極的に使っていく戦略です。東方正教のやり方ですね。聖なる言語はギリシア語ですが、典礼等には積極的に現地語を使いながら布教していった。この戦略の弱点は、神の超越性、一神教の神の圧倒的な超越性が損なわれかねないということです。それから、先ほど橋爪さんが指摘されたように、総主教座が使用言語ごとにどんどん分裂してしまう。

もうひとつは、逆に、聖なる言語に固執する戦略です。一番わかりやすいのはイスラム教ですね。クルアーンはアラビア語でなければならず、翻訳は許されなかった。ラテン語にこだわった中世のカトリックも、こっちのグループです。聖なる言語の使用を厳格に守れば、神の聖性や超越性が侵されることもないし、教会の統一性にひびが入ることもありません。

ただ、これにも明白な限界がある。ラテン語がわかる知識人でなければ、聖書も読めないし、教義もほんとうには理解できないわけです。つまり、ごく普通の民衆には、聖書を自分の納得する形で解釈し、内面化することができない。実際、このことが後に問題だとされて、ルターが聖書を俗語（ドイツ語）に訳すことになりました。

整理すると、一方の極に現地語をどんどん使って布教をしていった東方正教があり、他方の極には聖なる言語を厳守したイスラム教がある。カトリックはその両極端の間に位置しています。ラテン語へのこだわりも、イスラム教のアラビア語への執念に比べれば小さかったので、後の宗教改革において、俗語訳の聖典が出てきやすかったと考えられます。

カトリックが言語に対してとったこの中間的な態度は、「近代社会」というものの形成にどのような役割を果たしたのでしょうか?

橋爪 キリスト教は、一神教なのに、宗教法(ユダヤ法やイスラム法にあたるもの)がないという変種なので、その内実は、学説(三位一体説のような)なのです。でもそれをラテン語でのべるから、民衆にはちんぷんかんぷんでわからない。そこで大きな役割を果たしたのが、画像(十字架のキリストやイコンや聖人画。これは、一神教が偶像崇拝禁止のはずであることを考えると、皮肉です)や、音楽や、儀式(洗礼や、パンとブドウ酒の聖餐や、告解など)でした。画像や音楽や儀式は、言葉がわからなくても、教義がわからなくても、それなりに理解できる。

このやり方は、カトリック教会の弱点となったか、利点となったか。はじめは弱点だったものが、結果的に利点になっていったと思います。

中世を考えてみると、封建領主は、ほんとうにローカルな存在で、ここまでがフランスでここから先がドイツ、といったような区別はなく、さまざまな民族やローカル言語が多様にまだらに拡がっていた。そこで共通項になるのは、カトリック教会しかなかった。

これが中世だとすると、時代が進んでいくにつれて、強い王(キング)が出てくる。ネイションを形成する核になるのが、王です。王は、封建領主と違っている。封建領主は、自分の所領で税を集め、裁判権をもち、伝統に拘束されているけれども、所領を治める君主である。ところが、所領は自分の私有財産なので、相続の問題が起こり、つぎの世代になると所領の範囲が変わってしまうのです。子どもがいたら分け、遠い親戚の所領を相続し、すごく複雑でいつでもオセロゲームのように、テリトリーを更新し続けている。これに対して王は、自分の所領かどうかにおかまいなく、ある範囲（領土）を一括して統治する。日本には「一円支配」という概念があって、室町から戦国期にかけて、さまざまな荘園や領主から税金を取る、いわば王みたいなものが出てきて、大名と呼ばれた。ヨーロッパで、それに相当するのが、王（キング）です。

封建領主や貴族と、王とは、すごく仲が悪い。角逐や戦争を繰り返しながら、王が勢力を伸ばしていく。イングランドにも、フランスにも、あちこちに王が出てきた。

ここで教会と王（キング）の関係が焦点になる。教会は王を支援して、戴冠という儀式を考えた。あなたは正統な王です、みたいな証明の儀式です。教会はこうして、少なくとも名目上、王に対する優位を確保した。教会が王よりも優位なら、教会のトップである教皇が命じて、王たちを戦争に行かせる、十字軍みたいなことも可能になるのです。

イスラムには、この論理がない。イスラムは、あまりにも成功した宗教で、しかも一元的なため、まず教会がない。聖職者もいない。そのトップである教皇もいない。すると、戴冠する主体がいない。ヨーロッパでは、戴冠を教皇みずから行なうのでなく、その代理の枢機卿などが行なう。カトリック教会は、地域割があって、どの地域にも担当者がいるのです。

西ヨーロッパでは、カトリック教会が普遍性を、王権がナショナルな地域性を、代表する。この二元体制を前提に、世俗的でしかも絶対的な、主権国家の観念が育まれることになった。

6　イスラム教のほうがリードしていた

大澤　すでに何度も話題になっていますが、イスラム教は、一神教の伝統の中では、最後に出てきたものです。成立したのは七世紀ですからね。キリスト教よりもずっと後のことです。

非常に大づかみな印象ですが、ぼくには、キリスト教よりイスラム教のほうが明快だし、首尾一貫性が高いように見えます。むろん、その理由の一つとしては、後発者の有利さのようなものも多少は作用しているかもしれない。しかし、もう少し宗教に内在した理由がある気がします。

三大一神教の中で最も古いユダヤ教を基準にして、キリスト教とイスラム教をあらためて比較してみましょう。

ここまでキリスト教がいかにユダヤ教を引き継いでいるかということを強調してきましたが、同時に、キリスト教には、明確にユダヤ教の否定という面もあります。あるいは、ユダヤ教にはない要素がキリスト教にはある。それがイエス・キリストで、これが入ったがために、非常にやっかいな問題が生まれたことはすでに議論しました。三位一体などというのも、考えようによっては、詭弁にすら聞こえかねないアクロバティックな論理ですよね。

それに対してイスラム教は、ユダヤ教へのこうした過激な否定の要素がなくて、もっと素直にそれを発展させているように見えます。イスラム教にとってムハンマドは別格の存在ですが、前にも話したように、それでも預言者です。ユダヤ教の預言者の伝統を否定していない。

聖典に関しても、新約聖書には内部に不一致や矛盾が含まれているのに、クルアーンはそうしたことがない。これもすでに再三論じてきたことですね。イスラム教は、さらに、法の面でもきわめて整合性が高い。クルアーンでは足りない場合にはどうするのかということについても、きわめてシステマティックな規定がある。

後継者に関してもそうです。キリスト教では、誰がイエスの精神を継承しているのか。ペテロとかパウロとかが重要ではありますが、明確な後継者というのとは違う。そもそも神の子に後継者なんていうものはないのでしょうね。それに対して、イスラム教は、誰がムハンマドの後継者かがかなりはっきりしている。だんだん時間が経過すると、真の後継者が誰なのか、意見が分かれてしまうわけですが、少なくとも最初のうちは一義的に決まっていて、この点でもイスラム教はあいまいさがない。

ところで、近代化とは何か。ヴェーバーは合理化にその本質を見ましたよね。合理化(あるいは合理性)とは何かという哲学的な問題はさておき、とりあえずヴェーバーにならって、近代化とはさまざまな分野における合理化の過程だと考えてみます。そうすると、イスラム教のほうがキリスト教より合理化されているように見えるわけです。それなのに、どうして近代化においてはキリスト教(カトリック)圏が主導権を握ったのか。

歴史をふりかえれば、中世くらいまではイスラム圏のほうがカトリック世界よりもずっと先行していました。技術の面でも哲学や思想の面でも、たいていイスラム圏のほうが先んじています。中世の後半に、アリストテレスの哲学がイスラム圏からカトリック世界に言わば逆輸入されて、キリスト教神学の水準を大幅に引き上げたという事実など、イスラム圏がいかに先行していたかを示している。逆転の兆しが出てくるのは十六世紀頃、つまり大航海の時代です。あるいは、宗教に即していえば、宗教改革の頃です。

どうして、きわめて首尾一貫性が高く、合理的な宗教であるイスラム教が、しかも中世までは断然優位に立っていたイスラム教が、近代化の過程では、結局、キリスト教に主導権を奪われてしまったのか。非常にふしぎな感じがします。

橋爪　とても大事な点ですね。

まず宗教的な首尾一貫性ということでいうと、イスラム教とキリスト教が競争したら、イスラム教のほうが信者獲得は容易でしょう。

大澤　そうですよね。それぞれの教義を示して、説得力があるほうを選びなさいと言われたら、どう見ても不利なのはキリスト教でしょう。復活やら、神の子やら、三位一体やら、乗り越えなければならないハードルがたくさんありますから。実際、信者の数ではイスラムの規模はすごいと思うんですよ。だから、単に信者を獲得することとは違うプラスアルファの影響力がキリスト教のほうにあったために、勝負は変わってきてしまったんだと思います。

橋爪　キリスト教の優位については、いろいろに言えると思うのです。宗教改革も大事だし、新大陸の発見も大事だし、科学技術の発展や産業革命も大事だし、資本主義も大事だ。

でも、最も根本的なところで、いちばん大事な点を取り出すとすれば、それはキリスト教徒が、自由に法律をつくれる点だと思う。

大澤　律法がないようなものですからね。

橋爪　宗教法（ユダヤ法でもイスラム法でも）の伝統では、法をつくる主体（立法者）は神なんです。Ｇｏｄが法をつくる。人間も法をつくることができますけど、神の法をつくることはできないし、人間のつくる法は、神の法より下位の法。まあ、たとえて言うと、神が「憲法、民法、刑法」みたいな法律をつくっているとすると、人間は、東京都公安条例や財務省局長通達みたいなものしかつくれない。これでは勝負になりません。

キリスト教徒がなぜ自由に法律をつくれるかというと、キリスト教会がそもそも法律をつくらないから。初期教会は、ローマ帝国のただの任意団体で、力がなくてつくれなかった。法律は、ローマ帝国の法律を守りましょう。ローマ帝国はキリスト教会と関係ない、異教徒の団体ですから、その法律は世俗法です。で、ローマ帝国がなくなった。じゃあ、ゲルマン慣習法があるから、ゲルマン慣習法を守りましょう。イギリスのコモン・ローを守りましょう。そういう法律が時代遅れになった。じゃあ、自分たちで新しい法律をつくりましょう。代表が議会に集まって、立法をしましょう。ということで、議会制民主主義が始まった。

社会が近代化できるかどうかの大きなカギは、自由に新しい法律をつくれるか、です。キリスト教社会はこれができた。たとえば、銀行をつくって、利子をとって、企業に当座預金の口座を設定して、小切手を切らせて、手形を割り引いて、みたいなことをやろうと思うと、相当に複雑な法的操作が必要になります。ユダヤ人が考えることは、まず、これはユダヤ法に書いてあるか。イスラム教徒が考えることは、まず、これはクルアーンに書いてあるか、スンナに書いてあるか、イスラム法的に正しいか。キリスト教徒はそんなことは考えない。キリスト教徒が考えるのは、まず、何をやりたいかという目的。そして、禁止されていないかどうか。禁止されていないことは「できる」と考える。目的を考え、手段を考え、実現までのロードマップをつくる。ポリシー・ペーパーとかマニフェストとか、最近おなじみだと思うけど、キリスト教徒のやり方です。

これに加えて、キリスト教を近代合理精神の担い手に押し上げたものはなにか。

宗教改革は、キリスト教の原則に立つなら、伝統社会の慣習も教会の慣行も、聖書に根拠をもたないならすべて無意味であるという結論を導いた。ローマ教会は慣習の塊だったから、宗教改革のこの批判は決定的な意味をもった。

新大陸の発見は、大航海時代をもたらした。でも、大航海と言えば、中国人だってイスラム教徒だって、航海の能力をもっていた。問題は、航海の能力ではなく、新大陸に移住する動機を持っていたかどうかです。なぜキリスト教徒だけが、新大陸に大挙移住したか。それは、旧大陸でいじめられたから。宗教改革は、キリスト教にふたたび亀裂をうみ、不寛容と宗教戦争をひき起こした。戦争では、勝ち組と負け組ができる。負け組は居場所がない。ボート・ピープルとなって新大陸を目指すしかないんです。旧大陸でそこそこ安楽な暮らしができれば、誰が好き好んで新大陸に行きますか？　だから中国人もインド人もアラビア人も、新大陸に向かう積極的な動機を持たなかった。キリスト教徒だけがその動機を持ったのです。

7　ギリシア哲学とキリスト教神学の融合

大澤　宗教改革のことはとくに社会学的には非常に重要なので、そのことはちょっと後回しにして、片づけておきたい疑問があります。ただ、その疑問を言うまえに、疑問のポイントを理解するための考え方の構造のようなものを、もう一度、確認しておきたい。

ぼくらはいま、キリスト教の影響について考えています。しかし、それを考えるには、第1部の最後に議論したように、意識レベルでの信仰だけを見ていてはダメなんですよね。無意識の、態度レベルでの信仰にも目を光らせなければ、キリスト教の「影響」の実態は見えてきません。私はまったく宗教に関心がないよ、教会には行かないよ、と言っていても、無意識のうちにキリスト教的なエートスや行動様式やものの考え方を採用している人はたくさんいますからね。実際、いまの橋爪さんの話でも、法に対する態度など、必ずしもクリスチャンを自称する人たちのとった態度ではないけれども、しかしキリスト教を考慮に入れると説明できるわけです。

さて、こうしたことを確認したうえで、具体的な質問をしましょう。

ぼくはヨーロッパと日本の関係を考えたときに、日本にはほとんどなかったもの、あるいは日本はそれを輸入するしかなかったものの一つとして、哲学があるような気がします。むろん、日本にも「思想」は伝統的にありますが、哲学は事実上、ヨーロッパからの輸入によって始まった。

もっとも、哲学はキリスト教から生まれたわけではありません。哲学の起源とされているのは、ふつう古代ギリシアです。それはキリストよりもずっと前のことですし、ユダヤ教とも関係がない。しかし、ある時期から、つまり中世になると、哲学とキリスト教神学が不可分になった。ヨーロッパで哲学が発達し、精緻化していったのは、キリスト教神学と一体化したからだと思います。先ほど論じた三位一体なども、中世のキリスト教神学と哲学の重要な主題です。

ここで疑問に思うのは、キリスト教とは無関係に生まれ、発達してきた哲学が、キリスト教とうまく嚙み合い、合体したという事実をどう考えればよいか、ということです。

パウロはギリシア的な教養人ですし、新約聖書もギリシア語で書かれていますから、かなり早い時期から、ギリシア系の文化（ヘレニズム）とユダヤ・キリスト教系の文化（ヘブライズム）とは、融合の徴候を示していました。そして、中世（つまりアウグスティヌス以降）になると、キリスト教神学は、プラトンやら、ネオプラトニズムやら、そしてアリストテレスやらの論理を使って、自己表現するようになるわけです。

とくに中世後半のアリストテレスの権威はすごい。先ほど、ギリシア哲学がイスラム世界から逆輸入されたことに触れましたが、アリストテレスの文献は、聖書に次ぐような権威をもち、重要な神学者や哲学者がアリストテレス的な概念を使いながら議論するようになりました。

でも、考えてみれば、アリストテレスはキリスト教のことなんかちっとも気にかけていません。当たり前です。アリストテレスのほうが、ずっと前の人なのですから。だから、アリストテレスの哲学は、キリスト教の神学のための仕様にはなっていないし、虚心に見れば、キリスト教に都合が悪いことだってけっこう書いてある。それなのに、無理やり、アリストテレスの書いていることと聖書に書かれていることとの整合性をつけるというようなことまでやるんです。異なる文化のこうした強引な接着の仕方には、驚かされます。

この二つの文化の組み合わせについて、橋爪さんはどう思いますか?

橋爪　たいへんおもしろいテーマ設定ですね。

哲学の中心には、理性があります。理性はもともと、ギリシアで発展した。この点は、詳しくのべなくても、周知のことでしょう。

キリスト教徒ははじめ、理性のことなんかあまり考えていなかったけれど、イスラム経由でアリストテレスをはじめギリシア哲学を受け入れてから、あらためて真剣に考えるようになった。キリスト教徒は、理性を、宗教的な意味で再解釈したんです。その結論は非常に重要。キリスト教の考え方では、神は世界を創造した。人間も創造した。神にはその設計図があり、意図があるんです。人間が神を理解しようと思うと、神の設計図や神の意図を理解しなければいけません。でも、どうやって? その可能性を与えるのが、理性なんです。

トマス・アクィナスに、自然法論というのがあります。『神学大全』の、ユダヤ法について書いてある「旧法」の部分をみると、法には「神の法があり、自然法があり、国王の法がある」と書いてある。キリスト教神学の教えるところによれば、法は、神の法/自然法／国王の法（人間のつくった法、制定法のこと）と、階層構造になっている。神の法とは、神が宇宙をつくった設計図のことです。これは、神の言葉で神の書物に書いてあり、人間は目にできないし、理解することもできない。ただし、一部分であれば、人間も知ることができる。その一部分を、自然法といいます。自然法は、神の法のうち、人間の理性によって発見できる部分です。立法者は神で、人間はそれを発見するだけ。理性は、人間の精神能力のうち神と同型である部分、具体的には、数学・論理学のことなんです。人間は罪深く、限界があり、神よりずっと劣っているけれど、理性だけは、神の前に出ても恥ずかしくない。数学の証明や論理の運びは、人間がやっても、神と同じステップを踏む。ゆえに、自然法を発見できる。こう位置づけるのが、キリスト教神学です。

自然法と言いましたが、キリスト教のいう「自然」（ネイチャー）は、理解がむずかしい。私の理解では、自然とは、「神がつくったそのまま」という意味。神の業《わざ》で、人間の業ではない。神につくられた山や川はそのままで自然だし、植物や動物も自然。動物は自然にふるまうので、罪を犯す（神に背く）ことができません。それから、神につくられた人間の生まれつきの性質（ネイチャー）も自然。法律にも自然なものがある。泥棒や殺人は、人間の理性で考えて、なるほど、それはいけない、と思えるので、神が定めた「自然法」なのです。（ちなみに、ユダヤ法やイスラム法は、神の法がはっきり聖典のなかに書いてあるので、それを読めばよく、聖典の外に、わざわざ自然法を発見するという発想がありません。）

理性にこのような位置を与えると、信仰を持ち、理性もはたらかせるのが、正しい態度ということになる。理性は、神に由来し、神と協働するものなんです。

ためしに理性を、神に向けるとどうなるか。理性で、神をとらえられるか。理性は神が人間に与えた能力なので、その能力を使えば、神が確実に存在することを証明できるに違いない。これが神学の、最初のテーマだった（神学といっても、中身は哲学です）。やってみると、あまりうまく行かない。そこで、理性の届かない先に、信仰のもたらす知識（神の恩恵）がある、ということに落ち着いた。理性／信仰は、両方とも人間に必要である。神は、理性によってその全貌がとらえられないのです。

しかし、逆に言えば、神が創造したこの世界（宇宙）は、神ではないから、人間の理性で残らず解明できるとも言える。宇宙に理性を適用したら、神の意図や設計図が読解できないか。これも信仰に生きる道である。こうして、自然科学を始める態勢が整ったことになります。しかもこれは、アリストテレスの自然学ではない。アリストテレスはたしかに理性を使って、自然はこうなっていると書いたけれども、それは神の設計図どおりである証拠がない。それを、自分の理性を使って確かめてみましょう。そうしたら、コペルニクスになり、ケプラーになり、デカルトになり、ニュートンになるでしょう。

自然現象がうまく解明できたら、今度は、社会現象についても理性を適用してみよう、となる。そうしたら、スピノザになり、ホッブズになり、ルソーになり、ロックになり、ヒュームになり、カントになるでしょう。ヘーゲル、マルクスにもなったりした。

これら（哲学、自然科学、社会科学）は、信仰が理性を正しいものと是認したことでスタートし、キリスト教的文脈と離れても、ときにはキリスト教に反対してまでも、理性的にふるまう理性主義を生み出した。たとえばフランスでは、大革命のときに、カトリック教会と絶縁し、教会領を没収し、フランス共和国を樹立し、理性神を拝んだりした。

大澤　そうですね。理性の祭典というのをやっていますからね。

橋爪　理性を宗教にしたわけですね。

余談ですが、革命前のフランスは、イギリスに対抗してアメリカ独立を助け、今度はフランスの大革命を、アメリカが助けた。その縁で、アメリカ独立百年記念に、フランスは自由の女神を贈った。ニューヨークに建っています。よく考えてみると、「自由の女神」はキリスト教の神でないから、偶像ではないか。敬虔なピューリタンや福音派からみれば、フランス革命を起こした無神論者の連中からのいやがらせのプレゼントに映るのではと思う。日本人は、アメリカは自由の国だから自由の女神が建っている、みたいに短絡的に考えますけど、そんな簡単なものじゃない。

8　なぜ神の存在を証明しようとしたか

大澤　おそらく中世の神学者・哲学者はイスラムから逆輸入する形でアリストテレスを再発見したとき、アリストテレスの哲学の緻密さに驚いたことでしょう。で、それと同じような水準で教義の研究をするようになっていって、哲学がどんどん発達してくるわけですけど、ぼくがよくわからないのは、そのさいに彼らが神の存在証明に熱中したことです。ふつうに考えれば、彼らにとって神が存在することは証明の対象ではなく、前提ですよね？

西洋中世哲学史の大家ジルソンは、ようは中世以降の西洋哲学のポイントは「存在の優位」にあるんだと書いています。つまり「存在とは何か」ということを問うことが哲学だったというわけです。実際、そのように特徴づけられると思えます。こうした要約に最も適合している近代の哲学者は、言うまでもなくハイデガーです。しかし、ハイデガーでなくても、西洋哲学はたしかに存在への執着に支配されている。

なぜ存在が大事なのか。存在の中の存在は、結局、神の存在ですよね。ヤハウェというのは存在という意味ですから、神について問うことは、ようするに存在について問うことです。だから中世では、とりわけ神の存在が中心的なテーマになった。たとえば、トマス・アクィナスは、五つのやり方で神の存在を証明してみせている。そして、このような神の存在証明の論法が、理性のはたらかせ方の原型になりました。

しかし、繰り返しますが、神の存在は自明であり、前提なわけですよ。中世の神学者・哲学者に「神の存在を信じているか」とたずねれば、「当たり前だ」と答えるはずです。それならば、なぜ証明しなければならないのか。証明するということは、不確かだからですよね。存在証明という営み自体が、冒瀆的なことにも思えるのですが……。

どうして、神の存在を自明視しているはずの人たちが、あれほど強迫的に存在証明にこだわったのでしょうか？

橋爪　なかなか、難しい問題ですね。

まず、一神教では、存在は二段階になっている。神は存在している。神のつくった世界も存在している。存在としては同じ。でも、そのランクが違う。われわれの知っている存在は、目で見えて、手で触れて、その辺にあって……という、世界内存在とでも言うべきもの。それに対して神の存在は、目に見えないし、確かめられない。神の存在は、時間的・空間的に局限されない。われわれの感覚を超えている。それでも、すべての存在を存在させている根拠だから、その存在は疑えない、という存在なのですね。神がすべてを創造し、すべてを存在させていることは、聖書に書いてあるから疑えない。

さて、神が世界を創造したとは、どういうことかというと、「存在しなさい、じゃあ、存在しました」という、命令なのです。スイッチをオンにしたわけです。でも、見えるのは目の前にある世界だけで、神は目に見えないんです。理性を使って考えていく限り、認識できたり理解できたりするのは、この世界の中のことだけ。この世界と神の関係については、理性によっては把握できないはずなので、それは信仰の問題になる。

だから、二段ロケットになっている。理性で行けるところまで行って、その先は行けない。その先に神がいるのなら、信仰を接ぎ足して、二段ロケットでそこに届く。これがふつうの素朴なキリスト教の考え方だと思う。

存在証明は、これを信仰なしでやろうとしているのだから、過剰な野心なんですね。理性に過剰な思い入れがある人のやること。できなくて当たり前、ダメ元なんです。もしも神が、そこまでわれわれに大きな能力の理性を与えているのなら、もしかしたらできるかもしれない。そういう空回り的な、過剰な努力だと思う。

なぜ、哲学の問いが、存在の問題に集中するのか。それは、人間が「神に存在させられた」から。世界も「神に存在させられた」ものだからだと思う。キリスト教が強力であったあいだ、神が存在の根拠だった。哲学が神学から分離すれば、神を存在の根拠にできなくなる。となれば、神に代わって、理性が存在を根拠づけなければならなくなる、のではないかな。

哲学が存在の問題に手こずっているいっぽう、理性を駆動力として、それぞれ好き勝手に世界内の具体的な問題に突撃する学者たちが続出した。哲学はまあ、その腕ならしだったのかもしれない。

大澤 なるほどね。まあでもとにかく、おっしゃるように、ある意味で矛盾したことをやっているんですよね。

橋爪 そうだね。

大澤 すごく矛盾したことをやっているので、はたから見ると、そんなこと気にしなければいいのにと思うんだけど、そこがおもしろいと言えばおもしろいですよね。

第1部で偶像崇拝の禁止について話したときにも言ったように、一神教の神の「存在」は、見たり触ったりできるという意味でのふつうの存在とは全然違います。一般的な存在の根拠（見たり触ったりできる）は、神には当てはまらない。だから、最も「存在していない」とされるような根拠をもって、「存在」を確定してしまうのが一神教の神です。

中世の神学では、さらに進んで、神についてはそもそもポジティヴには何も言えないのではないか、ということになりました。否定神学と呼ばれるものですね。たとえば、ふつうのモノに関しては、「この建物は大きい」とか「このボールペンは小さい」と言えます。しかし、神に関して、「神は大きい」とか「神は偉大だ」と言うと、ふつうのモノの大きさの序列の中で、神が相対化されてしまう。そこで、神についてはポジティヴに述語を付けることはできない、ということになった。言い換えれば、神については、「〜ない」と否定的にしか述定できないというわけです。

こう考えると、最も困るのは、ほかならぬ「存在する」という述語です。「このペンが存在する」と言うときと「神が存在する」と言うとき、「存在する」という語は同じ意味なのか。否定神学的な着想でいくと、ぜんぜん意味が違う。極端なことを言えば、二つの「存在する」は、完全な同音異義語であることになります。

でもそうすると、「神が存在する」と言うときの「存在する」ってどういう意味なのかが、さっぱりわからなくなってしまう。「神の存在証明」って、いったい何を証明したことになるのか……。

そこで、妥協案として、トマス・アクィナスは「存在の類比性」ということを言うわけですね。「神が存在する」と「ペンが存在する」は同じ意味ではないけれども、比喩のような類比の関係にある、というわけです。

しかし、これでもまだ何だかよくわからない。そこで、中世の終わり頃には、思い切って、二種類の「存在する」はまったく同じ意味だ、と断定する哲学者が出てくる。それが、「存在の一義性」と言われているアイデアで、これを唱えたのは、ドゥンス・スコトゥスという哲学者です。ここまでくると、振り出しに戻った感があります。ただ、二種類の「存在する」が同じ意味だとしても、偶像崇拝禁止の論理でいけば、ふつうのモノに関して存在の証拠とされるようなことはすべて拒否されてしまうわけですから、やっぱり「神が存在する」というのはどういう意味なのかという疑問がどうしても残るわけです。

こういうふうに、神の存在を考えるとたんに話がこんがらがってしまうのですが、橋爪さんがおっしゃったように、だから独特の合理的な体系が出てきた、というのもたしかなんですよね。つまり、考えて意味のあることについて考えたから、ポジティヴな知の体系ができあがったわけではない。解けない問題を必死に解こうとしたのが逆によかった、みたいなことなんです。

キリスト教というのは、ボールが存在しているはずのない真空の場所で思いっきり素振りしたら、どういうわけか真空の中から飛び出してきたボールに当たって、そのままスタンドインのホームランになってしまった、というような仕方で影響を残していると思うことがあります。

9　宗教改革――プロテスタントの登場

大澤　そろそろプロテスタントの話をしておきたいと思います。プロテスタントというのは、十六世紀から十七世紀にかけてカトリックの主流派を批判して出てきた、キリスト教のさまざまなグループです。

まず素朴な質問として、プロテスタントとカトリックはどこが一番違うんですか、と聞かれたら、どういうふうに答えるのが正解になりますか？

橋爪　宗教改革の主題をひとことで言うなら、神からのものと人間のものを分けること。それによって、神と人間との関係を正しくすること、です。

このため、神からのものだと証明できないなら、神からのものと認めない。証明できなくたって神からのものかもしれないのですが、神からのものでなかったら偶像崇拝になってしまうから、拒否する。このやり方を厳格に推し進めた。

さて、何が神からのものか。神はイエス・キリストを、人間に送った。これが神からの最大のメッセージで、福音と呼ばれます。でも、イエス・キリストから直接教えを受けることのできた人間は限られていた。イエスが去ったあと、福音書などの証言記録や、パウロの書簡などが残った。これが、新約聖書ですね。聖書を通じて神とつながるのが、正しいあり方。聖書が成立したあと、公会議で聖書の読み方（学説）を決めたが、それも含めて聖書と考える。こうして、

神　―　聖書　―　人間

という関係が確立された。これ以外に、間に誰か（人間）が立ってはいけない、と考えるわけです。これを、聖書中心主義という。

聖書中心主義は、信仰を正し、神との関係を正し、聖書によってすべてを正当化しようという、証明の方法論です。カトリック教会には、ミサとか、聖職者（司祭や神父）とかあるが、それらは聖書に根拠をもたない。ゆえに、存在すべきでない。教会堂もなくてよい。儀式もなくてよい。極端を言えば、聖書さえあればよく、自分と神だけが対話している、これが理想です。そこで、教会は必要ないという、無教会派も現れる。ふつうはプロテスタントも、そこまで極端なことは言わず、たいてい集団（教会）をつくって、牧師を置いています。

さて、聖書は文字どおりには読めない書物だということを言いました。解釈しながらでないと読めない。でもそれは、自分勝手な解釈ではいけない。解釈は「人間のもの」だからです。そこで公会議の決定をへた、三位一体説に従う。そのほか、正統な解釈に従う。

ここまでは、プロテスタントも認める。ところがカトリック教会は、聖書に書かれていないし公会議の正統な解釈でもない、根拠のあいまいな教会の伝承などに従って、聖人崇拝や煉獄の教えや免罪符の販売や告解や七つの秘蹟などを行なってきた。それらを、プロテスタントは認めません。

この結果、プロテスタントは、いくつものグループ（教会）に分かれるほかなくなります。ちょっとでも考え（解釈）が違えば、それは聖書に書いていないではないかという話になり、相手を説得できなくて、分裂するほかない。だから、ルター派やカルヴァン派や、クウェーカーやバプティストや、アングリカン・チャーチ（英国国教会）や、それこそ無数の教会（宗派）があるのです。

分裂するばかりではなく、合同する場合もあります。メソジスト教会は、いくつかに分かれていたが、しばらく前、それはやめようと言って、ユナイテッド・メソジストに合同した。ユニテリアン教会とユニバーサリスト教会も、考え方が似ているのでいっしょにやろうと、合同して、ユニテリアン・ユニバーサリスト教会になった。アメリカでは、教会同士が自由競争しているので、落ち目の教会は教会堂を、別な教会に売ったりして、看板をかけ替える。まるで、銀行のM&Aみたいです。

大澤　三菱東京UFJ銀行みたいなことが（笑）。

橋爪　そうそう。教会もあの世界なんですよ。なぜかと言うと、教会（団体）は重要ではないから。結局、個人なんですね。個人と神との関係がいちばん大切なので、団体は任意なのです。投資家の行動を考えてみると、要するに自分の資金が利潤をうめばよく、どこに投資するかは二義的だから、企業や投資ファンドが離合集散しても別にかまわない。プロテスタントは、似たような考えでできている。カトリックはそこが違う。

大澤　カトリックがそんなことをしたら、ようはカトリックごとなくなるに等しいですからね。

橋爪　カトリックは、救済のためには教会が必要だと考えている。

　昔は救済を、文字通り教会がお手伝いした。イエス・キリストの代理人として、人びとの救済を約束していたわけです。宗教改革のあと、いろいろ批判されて、さすがにこの考え方はひっこめ、免罪符の販売などもやめることにしたんだけど、ただし、公会議の議決には従っていて、自分たちこそ、公同の唯一の正統の教会だという立場をとっている。その唯一の教会に参加していることが、キリスト教徒の条件だと考えている。その教会の頭はイエス・キリストで、手足が信者だというわけで、頭と手足は切り離せないと考えているんですね。

　なお、プロテスタントの教会では、カトリックの洗礼を有効なものと考えていて、カトリック教会の信徒がやってきても、聖餐（パンとブドウ酒の儀式）にあずかれます。逆もそうだと思う。この点、分裂したとは言え、両者はひとつの教会なのです。

大澤　なるほど。お聞きしながら、カトリックとプロテスタントを比べたときに、またしてもある逆説があるのに気づきました。

カトリックの場合には、神と人間との間に、聖職者が入ったり、聖人が入ったり、儀式が入ったりする。とりわけ、「教会」というものが、絶対に欠かせない組織として入ってくる。

これに対して、プロテスタントの場合には、それらを、いらないもの、なくてもよいもの、むしろあってはならないものとして排除してしまうので、神と人間とがダイレクトにつながるようになります。神と人間との関係が、教会という組織を介する関係ではなく、各個人の内面の問題となるので、ある意味で、神と人間との差異が強調されればされるほど、神と人間が直結するという逆説的なことになる。

聖書との関係をみてもそうですよね。プロテスタントにとっては、聖書が神との関係にとって、唯一の、絶対に排除できない手がかりですから、信者が一人ひとり読んで、それを正しく解釈できなくてはならない。だから、ドイツ語訳をはじめとする、俗語の聖書も出てくる。聖書が信者に内面化されるわけです。カトリックにおいては、聖書はラテン語で、ふつうの信者は読むことすらできなかった。そこでは、ラテン語の聖書が、神と人間を隔てる壁のようなものになっている。

だから、まとめると、神と人間との間の理念的な距離が徹底的に重視されると、逆に、神と人間とがむしろ一対一に直接的につながるという逆説が出てくる。離れれば離れるほど近づくというわけですね。

10　予定説と資本主義の奇妙なつながり

大澤　社会学の古典中の古典として、マックス・ヴェーバーの『プロテスタンティズムの倫理と資本主義の精神』という有名な本があります。これは、社会学のテキストのなかで最も読まれ、最もインパクトがあった本だと言っても過言ではありません。

この本の中には、プロテスタンティズム、とりわけカルヴァンのつくり出した教義に規定された生活態度（エートス）が、近代的な資本主義への決定的なドライブを生んだということが書いてあります。これはあまりにも有名な説ですが、ヴェーバーが生きていた時代から現在にいたるまで、批判する人も少なくありません。ぼく自身は、ヴェーバー説にはかなり説得力があると思っていますけどね。

ヴェーバーは、前半でルターのことを論じ、後半では主にカルヴァンのことを論じています。宗教改革と近代的な資本主義の合理性との関係でとくに重要な主題になっているのは、カルヴァン派です。カルヴァン派がもたらす生活態度が、意図せざる結果として、資本主義の精神につながっていくのですが、でも、そのつながり方を説明する論理はけっこう難しい。ぼくもいままで何度も講義で扱ったことがありますが、わかりやすく言うのはとても困難です。

カルヴァン派というのは、プロテスタントのあり方の最も徹底したヴァージョンです。宗教改革はルターに始まった。ルターはまさに勇気ある一歩を踏み出したわけですが、後から登場したカルヴァンから見ると、少し不徹底なところがあった気がします。カルヴァンは、ルターの中にあった精神をより純化し、極限まで進めたところがある。

カルヴァン派の教義は、予定説（あるいは二重予定説）と呼ばれています。キリスト教徒は、最後に神の国で永遠の生を受けるか、あるいは地獄みたいなところに堕ちて、永遠の責め苦にあうかどちらかです。どちらに行くかの結論は、最後の審判で伝えられる。予定説はこれをどう考えるかというと、二つのポイントがあると思います。

第一に、神は、あなたが救われる側にいるのか呪われる側にいるのか、すでに決めてしまっていて、それを人間の行為によって変えることができない、ということ。人間が神の歓心を買おうとあれこれしても、神の気持ちを変えることはできない。

第二に、神が決めていることを、人間があらかじめ知ることは原理的にできない、ということ。

一神教の神様の原理を純粋に徹底すると、こうなりますよね。でも、こういう状況だと、人間は堕落したり、不信心になったりする恐れがあります。たとえば、教師が、学期の授業が始まる前に、学生たちに「君らの成績はレポートを出す前から決めてある」「君らが何をしようと無駄である」と言ったらどうなるか。当然、学生たちは一切の意欲を失って、怠けるでしょう。

当時のキリスト教の指導者たちの多くも、似たような懸念をもっていたと思います。予定説はちょっとやりすぎだろう、と。

最大の問題は、悪人や罪人が回心したときですよね。回心したなら、神は彼を赦してやって、神の国に迎えるように最初の決定を変更したらどうか、と思うわけです。そうでなければ、人を回心へと導くことができない。つまり、予定説だと、人を善へと導く契機がなくなってしまう……。

ところが、ヴェーバーによると、そうした懸念は杞憂に終わり、予定説に規定されたある特徴的な行動様式や生活態度が、最終的には資本主義的な精神へと結びついていった、というのです。先ほども言ったように、これはまったく意図せざる結果で、カルヴァンやプロテスタントは資本主義を発展させようとしたわけではありません。この奇妙な因果関係をヴェーバーは一生懸命説明しているのですが、なかなかアクロバティックな論理で、納得しない人が多いのも事実です。

どうして、予定説が資本主義の精神への動因となったのか。ヴェーバーの説明を解釈するかたちで、あるいは補足するかたちで、場合によっては批判しながら、橋爪さんのお考えを展開していただけますか?

橋爪　聖書には、ここにはこのように、別な箇所には別なように書いてあって、どちらにもとれる場合がある。救済予定説も、そうしたテーマのひとつです。

キリスト教も一神教なので、神には主権があって、人間を煮て食おうと焼いて食おうと勝手、神の自由だと考える。救済について言えば、キリスト教は個人救済ですから、最後の審判のときに、救うか救わないか、人間一人ひとりについて神が自分で決める。結果として、全員が救われるかもしれない。全員が救われないかもしれない。おそらくはその中間で、ある者は救われ、ある者は救われない。

では、人間の行動(人間の業)が、救いに影響するかどうか。

する、という説と、しない、という説がありますが、理屈で考えるなら、しない、と考えるのが正しい。もしも、人間の行動が少しでも神の決定に影響すると考えると、相互作用になって、一神教の考え方になじまない。だから、人間の業の影響力はゼロであると考えるのが正しい。

これがいちおう結論なんですけれど、聖書の中にはこれに矛盾するようなことも書いてある。それは「後悔する神」です。神は何かをしたあと、後悔する。たとえばノアの洪水のとき。最初、人類を全員殺して最初からやり直すはずだったのに、地上をよく見たら、義人のノアがいた。そこで、最初の計画を少し変更して、ノアとその一族だけは箱舟で助けることにした。予定になかったことなんです。神の自由裁量ではあるのだが、ノアのふるまいが義《ただ》しかったので、それをみて計画を変えたと読める。

このように、聖書を読むと、原則として神がすべて決め、私には何もできないんだけれども、神が私を逐一みてくれていて、私の思いや願いや行動を知っていて、応えてくれるんだ。こういうふうに考えて、自分を慰める。現にイエス・キリストも、神はあなたが何を望んでいるか知っているのだから、異教徒のようにくどくど祈るなと教えている。

救済予定説は、そういう甘いことではいけないと、神の主権を徹底させた。神が後悔する、神が人間に応えて行動を変化させるという側面をゼロにした。そういう徹底した神学の、初めての例だと思う。

つぎの問題は、これで人間は勤勉になるのか。

救済予定説は、救済が人間の行動に左右されないという説なので、これを信じる人びとが勤勉になりそうにない気がする。ヴェーバーの話は逆ではないか。

でもヴェーバーの言うとおり、救済予定説を信じたピューリタン（カルヴァン派のうち、イギリスにいた人びと）は、勤勉になった。救済予定説の構造をよく理解すれば、そう言える。

宝くじを例にしてみましょう。救済予定説は、救われる／救われないが、世界が創造されたと同時にもう決まっていた、という説です。これは、宝くじの抽選をすませてから、売り出すのと同じようなもの。どのくじが当たりくじかわからなければ、販売が終わってから抽選会をやろうと、先に抽選して当たりくじの番号を金庫にしまっておいて売り出そうと、当たる確率はいっしょで、くじとして違いはない。なんとなく人びとの気持ちがしっくりしないだけです。

当たりくじがどれかわからないこと。そして、自分の行動が当たる確率に関係ないことが、宝くじの本質で、いつ抽選するかは本質でない。同様に、神が人間を救済するのに、それを最後の審判のときに決めようと、天地創造のときに決めようと、神にとっては（そして人間にとっても）同じです。気持ちがしっくりしないのは、しっくりしない人間のほうが間違っている。

　ここまでいいですか。救済予定説は、キリスト教の論理を純粋にしたものなんです。すると、そのつぎに、人間は、以上のことをわきまえた場合に、勤勉に働いても無駄だからと怠けるか、それともかえって勤勉に働くか、どちらかという問題がある。

　ゲーム理論を使って、考えてみましょう。

　プレーヤーは、神と人間の二人。神は、救済する／救済しない、人間は、勤勉に働く／自堕落に暮らす、という選択肢があります。救済予定説なので、神が先に救済する／救済しない、を選択し、あとから人間が、勤勉に働く／自堕落に暮らす、を選択する。人間は神が何を選択したか知ることができない、というのがゲームの設定です。

　さて神が、人間を救済すると決めている場合。人間は、勤勉に働いても自堕落に暮らしても、いずれ救済されるのですから、勤勉に働くだけ無駄。よって、自堕落に暮らしたほうがよい。いっぽう神が、人間を救済しないと決めている場合。その場合も人間は、勤勉に働いても自堕落に暮らしても、どうせ救済されないから、勤勉に働くだけ無駄。やはり自堕落に暮らしたほうがよい。結論として、どちらの場合も、自堕落に暮らしたほうがよいことになります。自堕落に暮らす、が「支配戦略」になる。

　そうすると、人びとが救済予定説を信じる社会では、だらだら自堕落に暮らす人ばかりになってしまいそうです。でも、そうならない。

どこに秘密があるかというと、自分はこのゲームからはみ出していることを証明したいから。地上の自分の利益を考えて行動すると、自堕落に暮らすことが支配戦略になる。そういう状況で、もしも勤勉に働いている人がいたら、それは神の恩寵（恩恵のこと）によってそうなっているのです。勤勉に働くことは、神の命じた、隣人愛の実践である。この状況で、勤勉なことは、神の恩寵のあらわれです。となると、自分が神の恩寵を受けていると確信したければ、毎日勤勉に働くしかない。

大澤　自分が救済されていると確信したければ、支配戦略とは違う方向にいかなければならないんですね。

橋爪　そうそう。神の恩寵は、ゲーム理論の戦略的思考を超えている。

さて、恩寵を確信したい人はこうやって勤勉に働きますが、恩寵を感じない自堕落な人も、さも勤勉そうにしていないと、ビジネスに差し支える……。

大澤　怠けていると、あいつは救われてないやつだ、と見られてしまうからですね（笑）。

橋爪　そう。パン屋はパンが売れない、銀行は預金が集まらない。商売できなくなってしまうので、みな勤勉に働かざるをえなくなる。ヴェーバーが言っているのは、こういうことではないかな。

大澤　なるほどね。ヴェーバー自身がゲーム理論で説明しているわけではありませんが、なかなかおもしろいですね。ここでも重要なことは、ゲーム理論から導かれる素直な結論ではなく、ゲーム理論的には当然でてくる支配戦略をあえて否定するような行動様式が、むしろ支配的になるという逆説が効いていることだと思います。それだけ、予定説というのは、独特な結果をもたらしたわけです。

少し補足しておくと、おっしゃるように、聖書から見ると、予定説的な神なのか、それとも気が変わりうる神なのか、どちらともとれるんですよね。「ノアの箱舟」だけでなく、エデンの園に禁断の実があって、それを人間があっさり食べてしまったあたりも、神の誤算と読める。もっと派手なものでは、何と言っても、「神の子」という自分の分身みたいなものを派遣して、それが十字架に架けられて、殺されちゃうというのも計画通りだったのかどうか。……といった具合に、「後悔する神」的なヴィジョンも相当聖書からは得られます。

しかし、西洋では、主権者としての神、予定説的な神のほうにどんどん純化していく方向でキリスト教の改革が起きたわけです。それが宗教改革というものでした。

11　利子の解禁

大澤　資本主義とキリスト教の関係について考えるとき、よく話題になることとして、利子の問題があります。

利子は、キリスト教徒の間ではもともと禁じられていました。とりわけ、中世には厳しく禁じられていた時期があって、利子を取ることは最大の罪の一つで、神の意思に反するものだとされていた。金貸しは神の国には絶対に行けないと考えられていました。

しかし、資本主義は利子を認めなければ始まりません。ということは、利子というものが宗教的なつまずきの石であった段階から、利子を取っても問題がない状況へと、いつの間にか移行したということです。利子がだんだん認められてくるのは、プロテスタントが出てくるより少し前からでしょう。しかし、なぜ、中世においては圧倒的な罪だった利子が、やがて取ってもよいものになったのか。この件についてはいろんな歴史研究もありますけれども、どういうふうに理解なさっていますか？

橋爪　ユダヤ教は、利子を取ることは禁止。キリスト教も、利子を取らない時期が長かった。イスラム教も、利子を取ることは禁止。みんな利子を取らないんです。

これはもともと、ユダヤ教の律法から始まった。ユダヤ教は、利子を取ってはいけないのだが、それはユダヤ教徒同士の場合で、異教徒から取ることは禁止されていなかった。だから、キリスト教徒は、ユダヤ教徒からお金を借りればいい、利子を払って。ユダヤ人も、キリスト教徒から借りればいいわけです。

大澤 そうですね。シェイクスピアの「ヴェニスの商人」は、キリスト教徒がユダヤ人から金を借りる話ですもんね。あそこでも、利子を取っているユダヤ人のシャイロックは、悪い奴という扱いですが。

橋爪 利子なしでは、喜んで貸す人がいないから、なかなか借りられない。どうしても借りたければ、利子を払う。というふうに、実際は、運営されていた。

ではなぜ、利子を取ってはいけないのか。利子それ自体がいけないのではなくて、利子を取ると同胞を苦しめることになるから。借金を申し込むのは、多くの場合、困窮した人です。困窮した同胞に借金を頼まれたら、利子を取って追い打ちをかけてはいけない。利子なしで貸してあげなさい、という規定なのです。

ユダヤ教はこういう規定がたくさんあるのが特徴で、たとえば、質入れ。上着をかたに取って貸し付けた場合、上着を日没までに返してやりなさい、とある。なぜかと言うと、当時、上着は夜寝るときに毛布のかわりになっていたので、上着がないと、夜寒くて困る。貧者の場合、ほかにないから上着をかたに取るんだけど、夕方になったら返してやらなきゃいけない。石臼を、かたに取ってはいけない。どうしてかと言うと、石臼で小麦をひいてパンをつくるので、石臼がないと生活に困るからです。こういう規定がいっぱいある。利子の禁止は、その一環だった。借りる側が、困窮しているわけではなく、ビジネスを始めるから貸してくださいなら、禁止しなくてよいはずです。でも、そういう貸し付けを含めて利子は禁止だった。

キリスト教は、ユダヤの律法を否定しているでしょう。でも、たとえば十分の一税はかたちを変えて復活させ、修道院や教会が徴収したりした。西洋史では十分の一税はキリスト教の税ですけれど、ユダヤ教の税を「よそでやっているから、おれたちも、一般消費税だ」みたいに導入しただけなんです。利子は、ヴェニスの商人の時代まで、抵抗が強くて、金融ビジネスなど成り立たなかったんですけど、東インド会社などが設立されるようになって、投資に利益を配分するシステムが生まれた。大きな船を造って外国に送り、貿易をして、利潤が上がったら出資者が分配するのです。造船には巨額の資金がいるから、出資者がグループをつくる。利益を分配してよいなら、期待利得を利子として約束する、商業銀行の成立までほんの一歩。こうしたかたちがだんだん、オランダやイングランドで定着していった。

大澤　おっしゃるように、ユダヤ教のもとをただせば利子そのものが糾弾されているわけじゃなくて、利子が持っているあまりにも隣人愛や同胞愛の精神に反するやり方が罪悪視されていたわけですから、利子そのものが認められる余地はもともとあったとも言えますよね。だから、利子に関して何かもっともらしい理由がつくと、それがだんだん正当化され、やがては公然と利子を取るのが当たり前になってきた。そういう歴史的プロセスがあったわけですね。

ちなみに、利子についてはいろいろな研究があります。たとえば、フランスに中世史の大家ジャック・ル＝ゴフという人がいます。主著は『煉獄の誕生』。本来、キリスト教には天国と地獄しかなかったのに、中世になると、煉獄というものが編み出され、定着してくる。この過程について研究した本です。

煉獄というのは、天国と地獄に行く前の中間の待合室のようなものです。考えてみると、天国と地獄しかないシステムというのは、無罪と死刑しかない刑法のようなもので、ちょっと都合が悪い。たとえば万引き犯がいたとして、彼が有罪なのは間違いないから無罪放免にはできないけど、だからといっていきなり死刑では気の毒だと思う。そういう場合には、煉獄である程度苦しい試練に耐えて、いわば禊《みそぎ》をすれば、いきなり地獄に行かずにすむ。

ル＝ゴフは、この煉獄の成立が、利子の正当化や定着にとって都合がよかったという説を展開しています。煉獄があるおかげで、高利貸しがいきなり地獄に行かずにすむわけです。言い換えれば、利子を取る商売をしていた者が、それでも救われる可能性が出てくる。だから、だんだんと利子が認められるようになったというわけです。

もっとも、煉獄ができたからといって、せいぜい利子は必要悪となるだけで、積極的に正当化されたわけではありません。それに、利子が大々的に応用され、発展するのは、産業資本主義が普及してくるときですが、その主要な担い手は、先ほどからのべてきたようにプロテスタントでした。そして、もちろんプロテスタントは、煉獄なんていう聖書に何の根拠もない中間領域は認めない。だから、煉獄の誕生・定着と利子の普及とのあいだには、それほど強い相関はないのかもしれません。

12　自然科学の誕生

大澤　さて、ヴェーバーの議論から資本主義の精神とキリスト教（プロテスタント）とのつながりを見てきましたが、考えてみれば、資本主義の精神それ自体はぜんぜんキリスト教的なものではありません。むしろ世俗的で、反宗教的にさえ見えるものです。

すでにのべたことですが、このように、キリスト教の影響というのは、まったくキリスト教的ではないかたちで、あるいはキリスト教そのものを否定するようなかたちで発現することがよくあります。資本主義の精神はその一例ですが、もっと端的な例は自然科学ではないでしょうか？

われわれは宗教的世界観を否定するのに、しばしば自然科学的な世界観や合理性を持ってきます。たとえば、『創世記』の記述は、現代の生物学や物理学から見たらまったくナンセンスと言っていい。あるいはフランス革命のときの理性崇拝もそうですけど、啓蒙主義的な自然科学や合理主義は、宗教を否定するのに使われているわけです。

しかし、よく考えてみると、自然科学というものは、やはりキリスト教の文化、とりわけプロテスタンティズムから生まれてきている。

ぼくらが、今日、「自然科学」として理解しているような真理のシステムは、簡単に言えば、十六世紀から十七世紀にかけて西洋で起こった「科学革命」以降のものだと考えてよいと思います。

たとえば、中世の哲学者の自然観や自然学を聞くと、ぼくらにはどこかおとぎ話のように感じられます。中世においては、アリストテレスの『自然学』が絶大な権威をもっていた。アリストテレスはとても緻密に自然を観察していて、個々にとりあげてみると、現代のわれわれが見てもびっくりするほど正確な記述がある。しかし、根本のロジックが、ぼくらの合理性とは相容れない。たとえば、「土」は下へと向かう目的因をもっているので、土を多く含むものは地面に落ちるのだ、などと説明されると、考え方の基本や前提がわれわれとはまったく違うとしか思えない。

それに対して、科学革命以降の知は、たとえ現代の科学から見て間違っていることがたくさんあったにせよ、根本の考え方はわれわれと同じ方向を向いていると思えるのです。実際、いまでも高校や中学の理科で習うことの多くは、この科学革命の時期に確立したアイデアです。その中心はニュートンの物理学でしょう。

もちろん、ミクロに見れば、科学革命以前に西洋以外の地域で発見された知識や技術もありますよ。火薬は世界で初めて中国で発明されたとか、日本の和算は西洋とは独立にかなりの水準にあったとか。それは事実です。しかし、一つの知のシステム全体として見ると、やはり、今日の主流になっている自然科学は西洋で生まれたものであって、他のどこのものでもありません。

そして、その自然科学を生み出した科学革命は、実は時期的に宗教改革の時期とだいたい重なっています。そのうえ、科学革命の担い手となった学者——今風に言えば「科学者」ですが当時はそんな呼び方はありませんから哲学者——は、決して信仰心が浅いわけではない。いまはしばしば科学者が宗教批判を熱心にやりますが、科学革命の担い手は、むしろ熱心なキリスト教徒、しかもたいていプロテスタントでした。

だから、いまから見れば明らかにキリスト教的な世界観を否定するのに役立ちそうな真理のシステムが、まさにキリスト教から出てきたということになるんですね。こういうことは、たとえばイスラム教や仏教では起こらないと思うのです。

このパラドクスというか、逆説、歴史のアイロニーみたいなものについて、橋爪さんはどんなふうにお考えですか？

橋爪　自然科学がなぜ、キリスト教、とくにプロテスタントのあいだから出てきたか。

それはすでにのべたように、まず、人間の理性に対する信頼が育まれたから。そして、もうひとつ大事なことは、世界を神が創造したと固く信じたから。この二つが、自然科学の車の両輪になります。

世界を神が創造し、物理現象も化学現象も生物現象も、神がつくったそのままのネイチャーであるならば、そこに神はもういないんです。世界を神がそうつくったという、痕跡があるだけ。どういうことかと言うと、たとえば、これを日本の神道みたいに考えれば、山には山のカミ、川には川のカミ、植物には植物の、動物には動物のカミがいるでしょう。山に穴を掘ったり、自然の実験・観察をしようとしたりすると、カミと衝突してしまうわけです。カミに、それはやめてくれ、と言われてしまう。日本では工事をするのに必ず地鎮祭をするけれど、昔だったらそんなことをするぐらいなら、工事はしなかったんじゃないか。

大澤　まあ、いちおう赦しを乞うているんですね。怒らせないように。

橋爪　そうそう。で、一神教では、神は世界を創造したあと、出て行ってしまった。世界のなかには、もうどんな神もいなくて、人間がいちばん偉い。人間が神を信仰し、服従することは大事ですけれども、神がつくったこの世界に対して、人間の主権があるんですね。ほんとうは神の主権があるんですけど、それが人間にゆだねられている。スチュワードシップというのですが、空き家になった地球を人間が管理・監督する権限があるんです。その権限には自由利用権も含まれていて、クジラに脂身がたくさんあって油が採れるとなれば、クジラを獲ってロウソクをつくってもいいし、石炭を掘り出してもいいし……。こんなことは、キリスト教徒しかやらないんです。

世界は神がつくったのだけれども、そのあとは、ただのモノです。ただのモノである世界の中心で、人間が理性をもっている。この認識から自然科学が始まる。こんな認識が成立するのは、めったにないことなんです。だから、キリスト教徒、それも特に敬虔なキリスト教徒が、優秀な自然科学者になる。優秀な仏教徒や、優秀な儒教の官僚などは、自然科学者になりませんね、自然に興味を持ったとしても。

大澤　頭が良ければ科学者になるというものじゃないですからね。

橋爪　ぜんぜん違います。

大澤　大事なのは、生のスタイルというか、前提となっている考え方のほうですからね。

橋爪　はい。

大澤　基本線としてはおっしゃるとおりだと思いますが、もうちょっと立ち入って質問してもよろしいですか。

いま一神教的な世界観と自然科学的な態度との関係を説明していただきました。でも、一神教にはユダヤ教から始まって、キリスト教とイスラム教があるわけです。では、なぜユダヤ教やイスラム教からは体系的な自然科学が生まれなかったのでしょう？　先ほども少し話しましたが、中世にあたる時期のイスラム文化はかなり先進的で、錬金術など、今日の自然科学につながりそうな知識の点で、ヨーロッパよりもずっと先を行っていたわけですから、やはりふしぎに思います。

あるいは、同じキリスト教でも、東方正教からではなく、カトリックに反抗して出てきたプロテスタントから、自然科学的なものの考え方が出てきました。プロテスタントが西ヨーロッパで拡がっていくのと歩みをともにするようにして、自然科学は爆発的に誕生をするわけです。そうすると、一神教の中でもさらに種差をつける必要があるのではないでしょうか?

橋爪 キリスト教が、ユダヤ教、イスラム教と違うのは、いわば置き去りにされていることです、この世界に。

ユダヤ教、イスラム教は、宗教法(すなわち、世界のなかの人間への、神の配慮)があるから、すぐれた知識人はまず、この宗教法の解明と発展を考える。それに対してキリスト教は、宗教法がないので、どう生きれば神の意思に沿うことになるのか、途方にくれる。祈りの生活を送ってみたり、神学をやったり、哲学や自然科学をやったり、創意工夫しなければならない。特に宗教改革が、自然科学にはずみをつけた。

プロテスタントは、神を絶対化します。神を絶対化すれば、物質世界を前にしたとき、理性をそなえた自分を絶対化できる。理性を駆使する自分は、神の似姿になっていると言ってもいい。理性を通じて、神と対話するやり方のひとつが、自然科学です。数学の場合も、デカルトみたいな考え方になり、公理系による数学の再構成が始まる。政治の場合には、絶対王政や主権国家の考え方になる。これらはみんな、根が同じです。教会の権威に頼らず、自分の理性をたのむ点で、カトリックよりはプロテスタントのほうがこれらを真剣に発展させて行きやすい。

大澤　なるほどね。

ちょっと補足的にコメントすると、近代的な自然科学の世界観とそれ以前の世界観とを比較した場合、誰でもすぐに気づく明白な相違は真理の規準なんですよね。中世だったら規準はテキストにあった。アリストテレスがこう言っているとか、聖書にこう書いてあるとか。でも、近代的な自然科学においては、それは規準にならない。だから経験科学というのが出てくる。この違いを言い換えれば、神の真の意図が、聖書をはじめとするテキストにあるのか、それとも自然そのものにあるのかの違いと言ってもいいでしょう。

ずっと話題になっているように、キリスト教の場合、聖書がかなりあいまいですからね。となれば、神が直接お創りになった自然のほうが、神の意図を知るということではよりいっそう優先権があるとも考えられる。現にガリレオ・ガリレイ──彼は科学革命の初期の担い手だったと言ってよいと思います──がそんなことをどこかで書いていました。「アリストテレス主義者は真理は『物語の本』にあると思っているが、自然こそが真に偉大な書物なのだ」と。つまり、自然は、聖書以上の聖書だというわけです。

13　世俗的な価値の起源

大澤　さて、次に聞きたいことは、さきほどもうすでに半分答えをおっしゃっていることです。ぼくは自然科学のことから入りましたが、社会的・政治的な概念に関しても同じようなことが言えるのではないか、と思うのです。

たとえば、主権とか、人権とか、近代的な民主主義などは一般に、宗教から独立の、あるいは宗教色を脱した概念だと見なされている。実際、イスラム世界のどこかの国が、イスラム教に忠実な制度や政策をとると、西洋をはじめとする諸国は「そんな神権政治のようなものはダメだ。人権や自由や民主主義といった世俗の価値を優先させるべきだ」と批判する。つまり、宗教を斥けるために利用しているわけですね。

しかし、こうした宗教色を脱した概念自体が、実はキリスト教という宗教の産物なのではないでしょうか？

橋爪　そのとおりです。いま言った、主権や国家の考え方はみな、神のアナロジーなんですね。

たとえば、近代国家はみな立法権を持っていますけど、立法権を持っているのは神のアナロジーだからです。キリスト教徒は、キリスト法を持っておらず、ローカルな世俗法に従ってきた。その延長で考えている。

人権も、神が自然法を通じて、人びとに与えた権利という意味がある。神が与えた権利を、国家が奪うことはできないから、そのことをはっきり、憲法に人権条項をつくって書き込んでおくのです。自然法はいつ制定されたかと言えば、天地がつくられたのと同時のはず。そこで、ネイチャー（神がつくったそのまま）の法と呼ばれる。キリスト教徒がなぜわざわざ、自然法などというものを考えなければならないかと言うと、宗教法を持っていないから。世俗法にまかせておいたのでは、キリスト教徒の権利が守れないかもしれないから、です。

市場メカニズムにも、キリスト教は独特の意味づけをする。はじめキリスト教は、市場メカニズムに懐疑的で、商品の価格を自由に決めさせなかった。中世にはジャスト・プライス（正当価格）というものがあって、靴がいくらか、パンがいくらか、価格は伝統的に決まっていた。それによって、それぞれの職業が守られていた。価格を需要供給の関係に任せれば、あくどい商人がもうけるに決まっているのです。ですから、アダム・スミスが需要供給の関係で商品の価格が決まる市場メカニズムに、「神の視えざる手」が働いていると、それを正当化したのは、どんなに革命的なことだったかわかります。となれば、人びとに必要なものをどんどん安価に生産することは、正しく望ましいし、勤勉に働いて生産を増やすのは、やっぱり望ましい。この論理がなければ、資本主義は成り立たないでしょう?

大澤　そうですね。キリスト教が資本主義的な貨幣経済とか市場を成立させるドライブになっているということも、考えてみると、歴史のふしぎの一つですね。ぼくはときどき、どうして、イスラム教のほうから近代的な資本主義が出てこなかったのか、と思うことがあるんです。

だって、ムハンマド自身が商人ですよね。イスラム教ではムハンマドが神の声を受け取り、それがクルアーンになったと見なすわけですが、第三者の観点からみると、クルアーンには、商人にとっての正義や公正性が洗練されて表現されているようなところがたくさんあります。そういう意味で、クルアーンというのは、商人にとっては納得しやすく、受け入れやすい面がある。だから、イスラム教のほうから資本主義が出てきてもよさそうな感じがする。でも、歴史はそうならなかったんですね。

14　芸術への影響

大澤　つづけて、芸術方面ではどうでしょうか？

芸術的創造と一神教とは直接的には関係がないのではないか、と思いたくなります。芸術はいかにも偶像崇拝的ですから。

しかし、芸術に関しても、ぼくらの世界は明らかに西洋風の様式を基軸にしています。むろん、芸術は多様で、さまざまな地域や文化がそれぞれ独自の伝統やスタイルをもっている。西洋のそれは、そうしたもののひとつでしかありません。しかし、それでも大づかみに見れば、音楽にしても視覚的な芸術にしても、西洋出自のものが世界的なスタンダードになっている。そうした芸術のスタイルは、キリスト教と何か関係があったと考えるべきでしょうか？

質問の意味をはっきりさせるためにちょっと補足しておきます。たとえば、讃美歌や聖書のある場面を表現した絵画や彫刻などに、キリスト教が影響を残していることは、ぼくらもよく知っています。しかし、そういう芸術の「内容」が、別に世界標準になったわけではありません。

気になるのは、内容以前の形式や様式です。もっと具体的に言えば、絵画における遠近法とか、音楽における調性や平均律。こうしたものは、直接的には宗教的な価値をもっているわけではないし、キリスト教そのものよりもずっと新しい。それらは、西洋で生まれ、世界中に受け入れられていきました。これらに関して、ここまで自然科学や資本主義や人権などの政治的概念についてのべてきたようなことが言えるのかどうか。

橋爪　キリスト教のふしぎは、音楽、美術などの芸術に深い影響を与えていることです。文学にも影響は及んでいるが、芸術ほど直接的ではない。

まず、音楽。音楽はキリスト教の場合、禁止されなかった。

イスラムには宗教音楽がありません。禁止なのです。ですから、アザーン（礼拝の呼びかけ）もクルアーンの朗唱も、私たちが聴くと音楽みたいでも、絶対に音楽ではないとされている。音楽があるとすれば、世俗音楽なので、宗教は音楽に影響を与えない。

ところが、キリスト教はそこがあいまいだった。教会で、音楽を歌ってもいいし、歌わなくてもいい。教会で、ミサのときに、あんまりやることがない。そこで、時間つなぎに歌うことにした。それで、グレゴリオ聖歌とかができたんですけれど、これは実は、ユダヤ教の旧約聖書の朗唱の節回しを真似したものなんです。歌詞を、ラテン語にした。そのうち、器楽（オルガンなど）が教会に入り込み、そこから、いろんな楽曲が教会音楽としてつくられていった。ユニゾンだったグレゴリオ聖歌が、ポリフォニーに、さらに和声音楽に変化した。世俗音楽も爆発的に発展した。バッハやモーツァルトまでは、宗教的な楽曲と世俗音楽を両方つくっているでしょう。ベートーヴェン以降は、市民のために、シンフォニーをコンサートホールで演奏するようになった。西ヨーロッパの音楽はこうして、教会音楽がもとになってできあがったものなのです。

絵画について言うと、偶像崇拝を禁止しているキリスト教に宗教画があるのはおかしいことなのです。でも、キリスト教徒はあまり聖書を読まなかったし、そもそも字が読めなかったりしたので、絵でも見せるしかなかった。そこで、イコンとか聖人の像とかイエス・キリストの像とかがどっさりつくられた。フレスコ画で、教会堂を飾ったりもした。祭壇画も、多くつくられた。ルネサンスになると、豊富な資金を背景にカトリック教会がつぎつぎ注文を出したので、ダ・ヴィンチ、ラファエロ、ミケランジェロと、宗教美術の黄金時代を迎えます。

プロテスタントは、宗教音楽を簡素にし、絵画や余計な装飾を取り除いて教会堂をがらんどうにした。プロテスタントの画家は、仕方がないから静物画を描いたり、風景画を描いたりした。日本では、印象派からあとの世俗絵画が人気ですが、それでも、ゴッホもルオーもダリもシャガールも、聖書を題材にいくつも作品を残しています。西欧絵画の本流はあくまでも、宗教画なんです。

大澤　おっしゃるように、西洋では、少なくともある時期までは絵というのは基本的には宗教画でした。あるいは宗教画が圧倒的に絵としての格が高いと見なされた。宗教画ではない絵画、具体的には風景画とか、風俗画とか、静物画が宗教画に劣らない絵画のジャンルとして認められるようになるのは、やはり十六世紀頃ですね。そういえば、フーコーが『言葉と物』という主著の冒頭で、ベラスケスの「ラスメニナス（侍女たち）」という絵を分析していますが、これなど、宗教にはまったく関係がない絵画です。

音楽家も長い間、教会とか、あるいは宮廷に雇われて活動しています。モーツァルトは、教会とも宮廷とも独立して活動した、ほとんど最初の音楽家ですね。ベートーヴェンは、もっと独立の度合いが高い。

15　近代哲学者カントに漂うキリスト教の匂い

大澤　ここまでぼくは、同じようなことを、手を替え品を替え何度もうかがっています。繰り返しになりますが、キリスト教から脱したと見えるその地点こそが、まさにキリスト教の影響によって拓かれている。そういう逆説が、キリスト教のふしぎのひとつだと思います。

そうした逆説が現れている応用的な例をひとつ出してみましょう。それは、カントです。カントは十八世紀から十九世紀にかけて生きた人です。十九世紀になって間もなく亡くなっています。だから、哲学者としておもに活躍したのは十八世紀の末期。フランス革命の同時代人であり、典型的な近代哲学者と言っていいでしょう。

最初の近代的な哲学者として、デカルトを挙げる人は多いですね。デカルトは、科学革命の時代の哲学者です。だから、デカルトからカントへと向かう線が、近代哲学が誕生し、成熟してくる過程だと見てもいいかもしれません。カントのすぐ後には、ヘーゲルがいます。ヘーゲルは、ぼく個人にとってはけっこう重要な哲学者ですが、非常に難解で、解釈も分かれやすいので、とりあえずカントを近代哲学の成熟した例としておきましょう。カントも難解ですが、ヘーゲルに比べれば断然明快ですから。

さて、カントは、ものすごく厳格なプロテスタントでした。生まれ育った家庭も、厳格なプロテスタントだった。しかし、カントの哲学は、神やキリストを前提にしていない。ここが中世の哲学者とははっきりと違うところです。たとえば、トマス・アクィナスとかマイスター・エックハルトが書いていることは、神を前提にしなければ、理解することも内容の妥当性を考えることもできない。

しかし、カントはそうではありません。カントの哲学、彼の認識論や道徳論の妥当性を判断するとき、神の存在をまったく無視してもよいのです。カント自身は、キリスト教徒かもしれませんが、カントの哲学の説を受け入れるかどうか、それを正しいものと見なすかどうかというときに、読者はキリスト教徒である必要はまったくない。そこが、カントが近代的とされる所以です。

つまり、カントは、神の存在をカッコに入れたうえで、哲学しているわけです。しかし他方で、にもかかわらず、カントの哲学は、全体としてたいへんキリスト教的だと思う。たとえば、カントの倫理学に、定言命法という重要な概念があります。定言命法とは、いついかなる場合でも、絶対に従わなければならない、倫理的な命令のことです。定言命法をどうやって導くのか。中世の哲学者・神学者だったら、聖書に書いてあるとか、キリストが言っているとかすれば、絶対の倫理的な命令を正当化できますが、カントはそういうことはしない。ではどうするのか。

まず、それぞれの人が、自分はこういうふうに行動する、という原則をもっている。それを「意志の格率」と呼びます。その意志の格率を普遍化したらどうなるのか、と想像してみるわけです。つまり、すべての人が同じ意志の格率を採用したとして、うまくいくかどうかを考えてみる。たとえば、ぼくが「自分が好きなときに好きなことをしゃべる」という意志の格率をもっているとする。それが普遍化できるだろうか。みんなが、好きなときに好きなことを勝手にしゃべってもよい、ということにしたらどうなるか、と考えてみる。すると、たいへんな混乱で、うまくいかないことは明らかです。勝手に好きなことを好きなようにしゃべっていたら、話し合いもできない。だから、「好きなときに好きなことをしゃべる」という格率は、定言命法にはなりえない。つまり、「普遍化」のテストに合格する格率だけが、定言命法になりうる、というのがカントの論理です。

こういう倫理学の説が正義の理論として妥当かどうかということを考えるときに、キリスト教であれ、何教であれ、信仰を前提にする必要はありません。キリスト教徒でなくても、これが妥当かどうかを判断できるわけです。

しかし、同時に、この定言命法というのは、カント流の隣人愛だと思うのですね。キリストが説いた隣人愛を、カントのやり方で哲学的に正当化していると見なすことができる。意志の格率を普遍化するというのは、すべての人を人格として尊重する、ということと同じです。カントは、他人を、自分の道具や手段として（のみ）扱うことをたいへん悪いことだと考える。どんな他人であれ、相手が嫌な奴や悪人であったとしても、独立の人格として尊重しなくてはいけない。それが定言命法の核です。こう考えると、定言命法が、カント風にアレンジされた、キリスト教的隣人愛であることがわかります。

で、何を言いたいかというと、こういうことです。カントは哲学をやるときに宗教を完全にカッコに入れているんですよね。神の存在についての判断を停止している。にもかかわらず、その結論は、きわめてキリスト教的なものになる。だから、ここにもキリスト教のあの特徴が現れているわけです。まさに、キリスト教から脱したように見える部分で、実は、最も強い影響が現れているという逆説です。

ふつう世俗化というと、宗教の影響を脱することを言うわけです。しかし、キリスト教は、世俗化において一番影響を発揮するという構造になっている。そういうふうになった宗教はほかにはなかったんじゃないかな。

橋爪　なるほど、興味ぶかいですね。

カントはたしかに、大澤さんの言うとおりだろうと思う。いっぽうヘーゲルの弁証法はもっとあからさまに、キリスト教の論理を取り込んだものになっている。三位一体説を下敷きにしたものだと思います。ドイツ語には再帰動詞というものがある。「自らを○○する」のような、自動詞でも他動詞でもない第三の動詞なのですが、この動詞の用法が弁証法のロジックとシンクロしている。ルターのドイツ語訳聖書が、この組み合わせを生み出したのだとすると、ヘーゲルも、マルクスも、その残響のなかで仕事をしている。

マルクス主義は、この弁証法に駆動されています。マルクス主義は、唯物論を標榜し、キリスト教と関係ないことになっていますが、私からみると、神がいないだけで、ほとんどキリスト教と同じ。教会の代わりに共産党がある。共産党はカトリック教会のように、一つでなければならないとしている。それは世界全体が、歴史法則に貫かれているからなんです。やがてやってくる世界革命は、終末とよく似ている。プロレタリア／ブルジョワの二分法も、救済される／されない、の分割線なのです。もう全体が、キリスト教の部品装置でできているのですね。というふうに、たとえばマルクス主義を生み出してしまうのは、キリスト教の重要な性質のひとつだと思われる。

大澤　まったくそうですね。

橋爪　日本人があまり、キリスト教を受け入れない。日本人があまり、マルクス主義を受け入れない。人数はどちらも、だいたい同じぐらいだろうと思うんだが。

大澤　マルクス主義者はキリスト教徒以上に、誰と特定するのが難しいところがありますけどね（笑）。

橋爪　そうですけど、日本共産党とか革マルとか中核とか、数えられる部分もあるでしょう。それからシンパ、つまり、洗礼を受けていないけど教会に行きますみたいな感じで、党員じゃないけどカンパぐらいはしますという周辺層がいる。でも、一般の人びとへの拡がりはごく限定的ですね。そのへんもクリスチャンと似ている。

でも、日本人は受け入れないけど、中国人がマルクス主義を受け入れているでしょ。日本よりずっと人数が多い。それに最近、キリスト教を大々的に受け入れているんですね。都市部でも農村部でも、家庭教会が拡がっている。朝鮮半島は、北半分がマルクス主義を受け入れ、南半分がキリスト教を受け入れている。マルクス主義とキリスト教をこみで考えるならば、日本人はどちらも受け入れにくいという特徴がある。

大澤　たしかに、マルクス主義はキリスト教的終末論みたいな構成を持っていますし、どこか神学的な構成を持っていますね。一般には、マルクスが「宗教はアヘンだ」と言ったから、マルクス主義と宗教は敵対していることになっているけど、それはマルクス主義自体が宗教だったからだ、というところもあります。たとえば、ソ連時代に東方正教はたいへんな被害を受けるわけだけど、それは逆に言うと、マルクス主義があったのでちょうどよかったのかもしれない。正教が排除された空きポストに同じようなものが入ったみたいなところが、ほんとうはあるんじゃないかな。

ヘーゲルについて言えば、ヘーゲル自身が本来は神学者ですからね。神学の論理を抽象化していくと弁証法みたいになっていくんですね。

16　無神論者は本当に無神論者か？

大澤　こうやって考えてみると、今度は、無神論とはどういうことなのか、よくわからなくなります。「あなたは神を信じますか」と聞かれて「私は信じない」と答えたからといって、その人を無神論者だと見なしてよいのだろうか。

というのも、いま見たように、カントの定言命法は、神に一言も触れていないのにものすごくキリスト教的でした。マルクス主義は、大声で無神論だと主張しているのに、その世界観や歴史観はすみずみまでキリスト教の終末論の再現です。だから、自分自身が無神論者だと思っていることと、実際に無神論であることとは違うのではないか。神を信じてはいないと信じていることと、実際に信じていないこととは別のことではないか。そう考えると、無神論とは何か、ということはけっこう難しい問題になります。

橋爪さんは、宗教社会学についての著書の中で、宗教とは何かということについて、抽象的な定義を与えていますね。宗教とは、行動において、それ以上の根拠をもたない前提をおくことである、と。独特の、証明されざる前提みたいなものを置いて、行動の前提にする。宗教をこのように広く捉えると、ほんとうの意味での無宗教とか、無神論というのは、ほとんど不可能なのではないかと思ったりもします。

たとえば、ほとんどの日本人は少なくとも一神教の神様は前提にはしていませんが、別の意味での行動の前提はある。それを、山本七平は、むかし「日本教」などという言葉で表現したわけです。


橋爪　日本人の考える無神論は、神に支配されたくないという感情なんです。「はまると怖い」とかも、だいたいそう。それは大多数の人びとの共通感覚だから、もしそれを無神論というなら、日本人は無神論が大好きです。

でも、これは、一神教の想定する無神論とはだいぶ違う。

日本人が神に支配されたくないのは、そのぶん自分の主体性を奪われるから。日本人は主体性が大好きで、努力が大好きで、努力でよりよい結果を実現しようとする。その努力をしない怠け者が大嫌いで、神まかせも大嫌い。と考える人びとなのです。だからカミが大勢いる。カミが大勢いれば、カミひとりの勢力はそのぶん殺がれる。人間の主体性が発揮しやすい。

大澤　まあ考えようによってはね、日本社会は、一神教的な観点からみれば、偶像しかいないような状態ですからね。そういう意味で言えば、日本人は無神論と言えば無神論かもしれないですけど……。

橋爪　神道がカミの像をつくらなかったのは、キリスト教から見ればおもしろい点です。なんでカミの像をつくらないかといえば、像をつくると拝まなければいけないから。それは支配されるということなんで、なんか嫌だな、と。だから、神道はカミの像がないんですね。仏教は仏像をつくるでしょう。ここはなかなか微妙なところなんですけど、もう、中国で仏像がさんざん出回っていたので、これがないとさまにならなかったんですね。でも、よく聞いてみたら、仏像はあまり大事ではない。仏の覚りのほうが大事らしい。それならいいやと、安心して取り入れ、拝んでいるような顔をして実は拝んでいない……。

大澤　そうすると、おもしろいですね。一神教の人たちと、日本の神道とが、まったく反対の理由から像をつくらなかったわけですね。一神教では、真に従うために、ほんものの神にだけ従うために――言い換えれば偽物に従わないために――像を禁じたわけです。しかし、神道は、拝んで従うのが嫌だから像をつくらなかった。一方には、真に従うために像をつくらなかった人たちがいて、他方には、できるだけ従わないために像をつくらなかった人たちがいる。

17 キリスト教文明のゆくえ

大澤 これまで、近代社会の最もベースになるような制度やアイデアや態度が、一見キリスト教を脱しているようでいて、いかに深くキリスト教的な前提の中でつくられていたか、ということを確認してきました。

言い換えれば、ぼくらは、自覚しているかいないかは別として、キリスト教的な世界観が深く浸透した社会を生きているわけです。

それでは、今後、キリスト教の影響を受けているこの社会はどうなるのか。これが最後にお聞きしたい質問です。

グローバル化のなかで、キリスト教的な伝統のなかにある西洋的な文明と、異なる背景にある文明、たとえばイスラムもそうですし、中国もそうですし、日本だって文明と言えるかどうかわからないけど——まあハンチントンの『文明の衝突』では日本はいちおう一つの文明としてカウントされていましたけど——、ともかくそういう異なる文明とが出会い、場合によっては衝突することがしばしば問題にされます。

そういう状況のなかにあって、キリスト教由来の近代文明は今後どうなるのか。さらに、その論理を徹底させ、貫徹していくのか。それとも、異なる文明との出会いや衝突を通じて相対化され、根幹のところで変化していくのか。そのあたりはどのような展望をお持ちですか？

橋爪　キリスト教世界と違った世界がいくつあるかと言えば、大きいところで、イスラム世界、ヒンドゥー世界、中国世界がある。それぞれ固有の論理を持っていて、簡単に変わらないと思います。それぞれに、伝統的エートスがありますから。ただ、ヨーロッパ＝アメリカ連合（キリスト教文明）の、デファクト・スタンダードがあるので、いまはそれに合わせている。

その結果、中国とインドは最近、資本主義モードに入った。中国は相当に成功。インドもそれなりに成功してきた。出遅れているのは、イスラムですね。イスラムは製造業が下手くそで、モノをつくることにあんまり熱心でない。それが理由です。日本人はモノをつくることに、すごく力が入っているじゃないですか。

大澤　たしかに、考えてみるとイスラムには製造業のイメージがまったくないですよね。それはどうしてですか？

橋爪　まず、商業に、彼らは才能がありすぎるんじゃないか。

大澤　それこそ偶像崇拝の禁止と関係があるという可能性はどうですか？

橋爪　日本人がモノづくりに長けているのは、アニミズムと関係があって、ロボットにも全然抵抗がないし、モノに何かスピリットのようなものが宿っていると思っている。ロボットに「ももえちゃん」とか名前をつけて、共存しているわけです。中国もインドも、モノづくりにそこまで入れ込みがない。モノをつくる人よりも、何か考える人のほうが偉いという世界なので、モノをつくる人の社会的地位はそんなに高くない。それでも、モノをつくることがそんなに下手でもないし、嫌でもない。日本が、モノをつくる人の社会的評価がいちばん高いと思う。

イスラムは、モノをつくることが下手で、嫌なんじゃないかな。理由はよくわからないが、もしかすると、クルアーンがあまりに文学的にすばらしくできていて、クルアーンの精神世界が魅力的すぎるせいなんじゃないかと思う。だから、クルアーンに触発された文学などはとても立派。それから、クルアーンに基づいた法学、これもすばらしく立派。政治もそれなりにうまい。ビジネス、商業もうまい。でも、製造業がちょっと見劣りします。クルアーンが描くのは徹底した一神教の世界だから、モノにスピリットをみとめる余地がない。

大澤　なるほどね。日本のモノづくりがいいのは、まったくおっしゃるとおりじゃないかと思う。日本の職人や技術者が、完璧なモノをつくろうとするときの情熱みたいなものはすごいですよね。モノにスピリットがあって、ただのモノ以上のものとの付き合い方で、技術を極めていくみたいな感じがします。そういうふうにモノづくりを猛烈に進め、オタク的と言っていいような極め方をしてしまうことは、どこか日本人の世界との関わり方と関係があるような気がします。

イスラムについては、やっぱり偶像崇拝の禁止に影響されているような気がしますね。いいモノができて良かったなと思うことが、一神教からするとすでにちょっと冒瀆的じゃないですか。だから、モノづくりに熱を入れるというのは、イスラムの精神からは出てきにくいのかもしれない。

ヒンドゥーと儒教はそこまでは行かないけど、ただおっしゃるように、たしかに考えるほうがつくるより偉いというところがある。

橋爪　近代化のためには、まず、法律をつくることが必要なんですけど、日本人は法律をつくるのに抵抗がない。相談がまとまれば、それがルールになるという深い伝統があるので、何でも法律になってしまう。でも一神教と関係ないから、人間の都合が優先する。

まず、相談にあずからないと抵抗する。日本人は、自分の同意しない法律に従う必要がないと、心底思っているのです。憲法はまあ、認めた。国会は、法律をつくるのが仕事の業界なので、法律をつくることに反対できないんだけど、「あんまり私たちに迷惑な法律をつくらないでくれる?」とほかの業界は思っている。行政官庁も、業界になってしまった。霞が関は霞が関で、国会と関係なくルールをつくりたいと思っているわけだ。自分たちがルール(法律と言わないで、省令などと別の名前をつけることになっている)をつくるのを邪魔しないでほしい、役所に任せてほしい、と言っているわけですね。で、現場では、霞が関はあんまり出しゃばらないでほしいと思っている。現場はみんな自分のルールをつくっているわけ。このように、ルールだらけなんですけど、それができたり消えたりしているんですね。これは法の支配とはたいへん違ったものである。法の支配に反対という意味ではなく、法の支配をよくわかっていない。法の支配を実行できないのが、日本の特徴です。

中国人も、ルールをつくるのにまったく抵抗がない。昔から人間が法律をつくってきたんです。そこで、改革開放とか、資本主義をやるとかいえば、喜んでたくさんの法律をつくるんだけど、ここでも似たような問題があって、なんでもかんでも中央で決めてもらいたくないという、ローカル主権の現象がある。でも、大きな問題ではない。

インド人も、法律をつくるのにほとんど抵抗がない。インドには議会もあり、民主主義が比較的定着している。自由に法律をつくっている。

法律をつくるのにいちばん抵抗があるのは、イスラムなんです。それは、イスラム法があんまり立派すぎるからです。イスラム法に抵触しそうな法律をつくるには、うんと言い訳をしないといけないし、だいたい議会がある国とない国があったりする。サウジアラビアみたいに、そもそも民主主義でもなんでもないという国もある。イスラム法と、近代化に必要な議会の立法行為との関係が、整理がつかない。

もうひとつ、近代化の原動力である、市場経済についてはどうか。市場は、資本や労働などの資源を、最も効率的に、すみやかに、必要な部門に配置するメカニズム。これなしに、近代化はできない。

イスラムは、市場経済に、わりに適性がある。ムハンマドは商人だった。ただし、利子の問題がある。利子を禁じているイスラム法のとおりにやれ、という原則主義者がいて、湾岸諸国はイスラム無利子銀行をたくさん設立しています。

インドは、カーストがあって、労働力市場が完全に開かれていない。労働力市場が開かれていないと、製造業を起こそうにも、製造業に従事してくれる人がいないということになる。ＩＴなら問題ないというので、ポスト工業化の時代になって、インドの発展が加速した。

中国は、市場は大丈夫なんですけど、まだ政治が開放されていないので、政治と市場経済の分離がうまくできない。それから、膨大な農民がいて、農民が戸籍（戸口）によって移動の自由を制限されており、対等な立場で市場経済に参入できていない。これらの解決に、あと数十年かかるので、その間は完全な市場経済ではない。「社会主義市場経済」という名前の、中国共産党が管理する、世にも不思議な市場経済である。中国共産党が管理しているあいだは、私的所有権を承認することができない。所有権が絶対でない市場経済は、実は、市場経済ではないのです。そういう奇妙な状態のまま、グローバル経済に参入し、なくてはならない存在になっている。

こういう奇妙な状態のまま、グローバル経済は進行していて、この現実を、ヨーロッパ=アメリカ連合は、承認せざるをえない。承認するとは、そこから影響を受けるということです。キリスト教文明が、非キリスト教文明のルールを承認して、そこから影響を受けざるをえなくなっているのです。

これは、十九世紀の植民地時代とは全然違った状況だ。植民地時代は、グローバル・ルールはキリスト教文明だ、文句あるかで押し切った。そして、植民地政策に支障がなければ、「お前たちが自分のことをローカル・ルールで決めるぶんには全然かまわない。ただし、近代化が遅れてもしらないからね」という態度で臨んだ。二重基準だった。

いまはその、二重基準の垣根がなくなって、ガチンコ勝負になっている。中国企業がIBMのパソコン部門を買収したり、中国がアメリカ国債を大量に取得したり、ヨーロッパの財政破綻国の国債を買い支えたりしている。これから、日本やアメリカの企業がどんどん中国企業に買収されると思う。気がついたら上司が中国人。そうなれば、中国人のものの考え方に、キリスト教徒が影響されていく。そういう新しい局面が、二十一世紀の基調になっていくでしょう。

大澤　なるほど。

聞いていておもしろいと思うのは、いろんな面でイスラムが後塵を拝するんですよね。でも、考えてみるとキリスト教に一番近いのはイスラムなんです。中国やインドに比べれば、はるかにキリスト教に近い。

橋爪　でもわりが悪い。

大澤　うん。近かった分だけ逆に無理だぞ、みたいな。

橋爪　イスラム教国の科学技術者の国際会議を、傍聴したことがあるんです。そこで出ていた数字は、世界の主要国が科学技術の研究開発（R&D）にどれぐらい資金を投じているかだったのですが、イスラム諸国が最低でした。理工系の大学もとても少ない。理工系の大学を出ても、あまり就職口がない。製造業がないからね。

大澤　そうなんでしょうね。技術者やモノづくりにかかわる階層の「威信」があまり高くないのでしょう。

橋爪　そのかわりに、アメリカの戦闘機なんかを買っている。近隣国が攻めてきたら大変だから、最新鋭よりちょっと旧いくらいのものを高い値段でわけてもらう。長期的な国づくりのプランなんか、あんまりないみたい。

大澤　しかもどういうわけか、イスラム圏に石油が出るものだから……そこで自分たちで石油を使って、何かを製造すればいいのですが、どちらかというと、石油は輸出にまわされる。

橋爪　オイルマネーが貯まるでしょ。日本人だったらまず、そのオイルマネーで、自国の産業をつくりましょうとか考えるんですけど、イスラムには必ずしも「自国」という発想がない。自分たちとは、王様の一族のことだったりする。そうすると、まず贅沢をして、子どもたちを留学させて、あとはスイスの銀行に預金し、余ったお金は欧米に還流してしまう。偶像崇拝はよくないので映画産業には投資しないそうですけど、それ以外のものには投資する。

大澤　ちょっともったいないような気がしますね。

ともあれ、こうやって世界各地の国民や民族の目立った行動様式や態度を少し見るだけでも、さまざまな宗教、とりわけ世界宗教の影響がきわめて強いことがよくわかりますね。

いわゆるグローバリゼーションというのは、ぼくらがここまで論じてきた「ふしぎなキリスト教」に由来する西洋文明が、それとは異なった宗教的な伝統を受け継ぐ文明や文化と、これまでになく深いレベルで交流したり、混じり合ったりするということです。

ここで、これまでの西洋化と異なっているのは、「西洋」に由来する「近代」にも限界や問題があることが、西洋自身によっても、その外部にあって西洋を受け入れてきた人たちによっても、明確に自覚されていることではないかと思いますね。環境問題やエネルギー問題にしても、あるいは民族や宗教の間の深刻な紛争や戦争にしても、あるいは資本主義が生み出した格差の問題にしても、西洋＝近代の限界を示唆している。だから「ポスト」近代なんていうことも言われるようになってきたわけです。

そういう中で、キリスト教に下支えされてきた文明がどのように変容していくか。あるいはどのように自分を乗り越えていかなければならないのか。それが次の主題ですね。

長い時間、ぼくの挑発的な質問にお付き合いくださって、どうもありがとうございました。三回にわたっていろんな話をお聞きしたので、これだけ読んでいただければ、相当キリスト教について理解できるのではないかと思います。少なくとも、知っているつもりが実はよくわかっていなかった、ということがはっきりするでしょう。

キリスト教のインパクトが、よい意味か悪い意味かの判断は措くとしても、いかに大きいかということ、そのインパクトが伝わったり、残ったりするときの論理がいかに屈折したものであったかということ、こうしたことがわかってもらえればいいかなと思います。

主の祈り

天の父よ。
御名があがめられますように。
御国が来ますように。
御心が天で行なわれるように、地上でも行なわれますように。
私たちに今日もこの日の糧をお与え下さい。
私たちに罪を犯した者を赦しましたから、
私たちの犯した罪をお赦し下さい。
私たちを誘惑から導き出して、悪からお救い下さい。
御国も力も栄光も、とこしえにあなたのものだからです。アーメン

The Lord's Prayer

Our Father which art in heaven,
Hallowed be thy name.
Thy kingdom come.
Thy will be done in earth, as it is in heaven.
Give us this day our daily bread.
And forgive us our debts, as we forgive our debtors.
And lead us not into temptation, but deliver us from evil:
For thine is the kingdom,
and the power, and the glory, for ever. Amen.

(King James Version　Matthew 6:9-13)

※主の祈りは、福音書（マタイ６章、ルカ11章）でイエスがこうして祈れと教えた祈りで、キリスト教徒に共通の祈祷である。教会・教派ごとに表現のちがいはある。ここに載せた日本語は、よくあるものを選んだ。なお、最終行は福音書にない、付加部分。「罪」とあるのは原罪ではなく、咎や過ちの意味である。

使徒信条

天地の造り主、全能の父である神を、私は信じます。

そのひとり子、私たちの主イエス・キリストを私は信じます。主は聖霊によって宿り、おとめマリアから生まれ、ポンティオ・ピラトのもとに苦しみを受け、十字架につけられ、死んで葬られ、陰府に下り、三日目に死人のうちから復活し、天に上られました。そして全能の父である神の右に座し、そこから来て、生きている人と死んだ人とを裁かれます。

聖霊を私は信じます。また聖なる公同の教会、聖徒の交わり、罪の赦し、からだの復活、永遠のいのちを信じます。アーメン

Apostles' Creed

I believe in God, the Father Almighty,
maker of heaven and earth.
And in Jesus Christ, his only Son, our Lord,
who was conceived by the Holy Spirit,
and born of the virgin Mary,
suffered under Pontius Pilate,
was crucified, died and was buried.
He descended into hell.
On the third day He rose again from the dead.
He ascended into heaven
and sits at the right hand of God the Father Almighty.
From thence He will come to judge the living and the dead.
I believe in the Holy Spirit,
the holy Christian church,
the communion of saints,
the forgiveness of sins,
the resurrection of the body,
and the life everlasting. Amen.

(Lutheran Service Book)

※使徒信条は、カトリック、プロテスタントに共通する信仰箇条（三位一体説を簡潔にまとめたもの）である。日本語はよくあるものを選んだ。

あとがき

なぜ、日本人は、キリスト教を知らないといけないのか。キリスト教を理解すると、どういういいことがあるのか。

それは、こんな感じだ。


昔むかし、あるところに、七人家族が暮らしていました。「戦後日本」と、表札が出ていました。

家族は両親と、五人のきょうだい。「日本国憲法」「民主主義」「市場経済」「科学技術」「文化芸術」という名の、いい子たちでした。

でもある日、五人とも、養子だったことがわかります。「キリスト教」という、よその家から貰われて来たのです。

そうか、どうりで。ときどき、自分でもおかしいなと思うことがあったんだ。そこできょうだいは相談して、「キリスト教」家を訪問することにしました。本当の親に会って、自分たちがどうやって生まれたか、育てられたか、教えてもらおう。忘れてしまった自分たちのルーツがわかったら、もっとしっかりできるような気がする……。

大澤真幸さんは、私と同じ、社会学者だが、哲学にも造詣が深い。ヨーロッパ近現代思想の本質をとらえ、それを踏まえて現代社会を分析している。その大澤さんが、やっぱりキリスト教だよ、と言う。キリスト教を踏まえないと、ヨーロッパ近現代思想の本当のところはわからない。現代社会もわからない。日本人が、まず勉強すべきなのは、キリスト教ではないだろうか。

まったくその通り！　と私も思った。

「キリスト教入門」みたいな本なら、山ほど出ている。でもあんまり、役に立たない。「信仰の立場」を後ろに隠して、どこか押しつけがましく、でもにこにこ語りかける。さもなければ、聖書学あたりの知識を、これならわかるかねと上から目線で教えをたれる。人びとが知りたい、いちばん肝腎なところが書かれていない。根本的な疑問ほど、するりと避けられてしまっている。

そこで大澤さんと相談して、対談が実現した。ボケとツッコミの要領で、ふつうのクリスチャンなら怖くて言えない話題もとりあげた。「信仰の立場」を尊重しつつも、自由にそこから出たり入ったりする、「社会学的な」議論をくりひろげた。きっと面白い本になっていると思う。だって、対談した私たちが、とっても面白かったのだから。

対談のテープを本に編集するのに、担当の川治豊成さんにたいへんお世話になった。進行が遅れ気味で、ずいぶんやきもきさせてしまった。現代新書出版部長の岡本浩睦さんにも終始サポートいただいた。感謝したい。

この本が、日本に生きる人びとがキリスト教とよりよい関係をつくっていく一助になれば、これにまさる幸いはない。

二〇一一年四月二十四日　復活祭の日に

橋爪大三郎

文献案内

○『聖書　新共同訳（旧約聖書続編つき・引照つき）』（日本聖書協会）
○旧約聖書翻訳委員会『旧約聖書Ⅰ〜ⅩⅤ』（岩波書店、一九九七〜二〇〇四年。普及版Ⅰ〜Ⅳもある）
○新約聖書翻訳委員会『新約聖書Ⅰ〜Ⅴ』（岩波書店、一九九五〜九六年）
○山我哲雄『聖書時代史　旧約篇』（岩波現代文庫、二〇〇三年）
○佐藤研『聖書時代史　新約篇』（岩波現代文庫、二〇〇三年）
○半田元夫・今野國雄・森安達也『キリスト教史Ⅰ〜Ⅲ』（山川出版社、一九七七〜七八年）
○ジャン・ダニエルー他『キリスト教史1〜11』（上智大学中世思想研究所編訳／監修、平凡社ライブラリー、一九九六〜九七年）
○山形孝夫『レバノンの白い山――古代地中海の神々』（復刊版、未來社、二〇〇一年）
○マックス・ヴェーバー『古代ユダヤ教』（内田芳明訳、上中下、岩波文庫、一九九六年）

○マックス・ヴェーバー『プロテスタンティズムの倫理と資本主義の精神』（大塚久雄訳、岩波文庫、一九八九年）
○田川建三『イエスという男』（増補改訂版、作品社、二〇〇四年）
○田川建三『書物としての新約聖書』（勁草書房、一九九七年）
○ジョルジョ・アガンベン『残りの時　パウロ講義』（上村忠男訳、岩波書店、二〇〇五年）
○アラン・バディウ『聖パウロ』（長原豊・松本潤一郎訳、河出書房新社、二〇〇四年）
○八木雄二『天使はなぜ堕落するのか』（春秋社、二〇〇九年）
○久米あつみ『人類の知的遺産28　カルヴァン』（講談社、一九八〇年）
○荒井献『トマスによる福音書』（講談社学術文庫、一九九四年）
○ロドルフ・カッセル他編『原典　ユダの福音書』（日経ナショナルジオグラフィック社、二〇〇六年）
○柳父章『「ゴッド」は神か上帝か』（岩波現代文庫、二〇〇一年）
○何恭上・町田俊之『アートバイブル』（日本聖書協会、二〇〇三年）

講談社現代新書　2100

ふしぎなキリスト教《きょう》

二〇一一年五月二〇日第一刷発行　二〇一二年四月一九日第一四刷発行

著者　橋爪大三郎《はしづめだいさぶろう》＋大澤真幸《おおさわまさち》

発行者　鈴木 哲

発行所　株式会社講談社

東京都文京区音羽二丁目一二―二一　郵便番号一一二―八〇〇一

電話　出版部　〇三―五三九五―三五二一
販売部　〇三―五三九五―五八一七
業務部　〇三―五三九五―三六一五

装幀者　中島英樹

印刷所　大日本印刷株式会社

製本所　株式会社大進堂

定価はカバーに表示してあります　Printed in Japan

N.D.C.190　350p　18cm
ISBN978-4-06-288100-5

「講談社現代新書」の刊行にあたって

教養は万人が身をもって養い創造すべきものであって、一部の専門家の占有物として、ただ一方的に人々の手もとに配布され伝達されうるものではありません。

しかし、不幸にしてわが国の現状では、教養の重要な養いとなるべき書物は、ほとんど講壇からの天下りや単なる解説に終始し、知識技術を真剣に希求する青少年・学生・一般民衆の根本的な疑問や興味は、けっして十分に答えられ、解きほぐされ、手引きされることがありません。万人の内奥から発した真正の教養への芽ばえが、こうして放置され、むなしく滅びさる運命にゆだねられているのです。

このことは、中・高校だけで教育をおわる人々の成長をはばんでいるだけでなく、大学に進んだり、インテリと目されたりする人々の精神力の健康さえもむしばみ、わが国の文化の実質をまことに脆弱なものにしています。単なる博識以上の根強い思索力・判断力、および確かな技術にささえられた教養を必要とする日本の将来にとって、これは真剣に憂慮されなければならない事態であるといわなければなりません。

わたしたちの「講談社現代新書」は、この事態の克服を意図して計画されたものです。これによってわたしたちは、講壇からの天下りでもなく、単なる解説書でもない、もっぱら万人の魂に生ずる初発的かつ根本的な問題をとらえ、掘り起こし、手引きし、しかも最新の知識への展望を万人に確立させる書物を、新しく世の中に送り出したいと念願しています。

わたしたちは、創業以来民衆を対象とする啓蒙の仕事に専心してきた講談社にとって、これこそもっともふさわしい課題であり、伝統ある出版社としての義務でもあると考えているのです。

一九六四年四月　野間省一